姜柱源【著】

市村繁和【訳】

中朝国境都市・丹東を読む

私は今日も国境を築いては崩す

緑風出版

「丹東がどこなのか。数多くの朝鮮人が満洲に出入りする関門のようなところであり、新義州から鴨緑江鉄橋を越えるとすぐに着くところである。数多くの商人たちと、故郷を離れて喰って行くために新天地・満洲から朝鮮へ入ってくる独立団たちも、不穏分子も隠れており、反対に国内工作のために満洲から朝鮮に入ってくる独立団たちも多かった。丹東こそが彼らの通路のあいだの急所のようなところであった」

黄皙暎『江南夢』より

第三章 四集団のはなし――北朝鮮人・北朝鮮華僑・朝鮮族・韓国人　63

凡例

＊この本は、著者・姜柱源のソウル大学校大学院人類学科博士学位論文「中・朝国境都市・丹東についての民族誌的研究：北朝鮮人・北朝鮮華僑・朝鮮族・韓国人の間の関係を通じて」（二〇一一年）［＊韓国語原書において「北朝鮮」は「北韓」。以下、同］、そして学術誌『歴史文化研究』（二〇一三年、第四五集）の「中・朝国境の多層的意味」、『現代中国研究』（二〇一三年、第一四集二号）の「三カ国（北朝鮮・中国・韓国）貿易の中心地としての中国・丹東」、『在外韓人研究』（二〇一三年、二九号）の「中国・丹東における四集団の暮らしの軌跡」、『統一問題研究』（二〇一三、上半期号）の「コリア語を共有する四集団の国民・民族アイデンティティの地形」など（以上、小論文）を土台として、著者とクルハンアリ出版社が企画趣旨に合わせて再構成ならびに追加した内容を収める。

＊この本に収録された写真は、二〇〇六年から二〇一三年まで、著者がフィールド・ワークの過程で直接撮影したものである。

＊この本では、現地語を最大限反映させており、引用文は原語を活かすことを原則とした。本文において、現地語を使う場合と、他の研究者たちが言及した名称を任意に取り替えないために、文脈と研究のなかの状況に応じてふたつの単語を同時に使用しており、括弧のなかに表記する方式を選んだ。

［例］朝鮮半島（韓半島）、国家旅遊国（観光国）、接境（国境）、辺境（国境）、辺境都市（国境都市）、辺境貿易（国境貿易）

＊国家ならびに四集団の名称は、略称とハングルの順列（カナダ順）で羅列することを原則とした。ハングルの順列に反する例として、本研究が中国側の国境地域を扱っているという点を参考にした中朝辺境

（国境）がある。

＊この本では、朝鮮民主主義人民共和国・中華人民共和国・大韓民国という国家の公式名称よりも、略称である朝鮮・中国・韓国で表記している。「朝鮮」という名称は大部分そのまま表記したが、「朝鮮（北朝鮮）」あるいは「北朝鮮」と表記した部分もある。このような脈略のもとに、朝鮮人と朝鮮華僑［＊北朝鮮に国籍をおき永住権を持つ華僑］もまた本書においては北朝鮮人と北朝鮮華僑と表記した。参考までに、朝鮮華僑を北朝鮮華僑に統一して表記した理由は、丹東においては朝鮮華僑を略称する際、華僑の他に「朝僑」と呼ぶこともあるのだが、一九八〇年代以前から、北朝鮮国籍を持って丹東に暮らしている人びとも朝僑と呼ばれてきたので、朝鮮華僑を朝僑と区分するために、北朝鮮華僑と表記したものである。

＊本文において「コリア語」とは韓国語・朝鮮語を包括し、四集団が相互の意思疎通に使用する言語の総称を意味するものとする［＊原書においては総称に韓国語を用いている］。ただし、脈略上、韓国人による自国語としての使用が明らかな場合などは、韓国語をそのまま用いている。参考までに、丹東では、韓国人はこれを韓国語と表現するのが通例であるのに対し、韓国人を除く三集団においては朝鮮語という表現をおもに使用する現況がある。また韓国語原書において「南北経協」「韓中」「北中」「韓国戦争」など日本社会において通用される漢字表記と異なる表現は、読者の可読性に鑑み日本で通用される表記に改めた。一方、「抗美援朝戦争」［＊「抗美」は「美国（＝米国）に抗う」の意］すなわち日本で言うところの「朝鮮戦争」は、中国で使用される例（抗美援朝記念館）を説明するときには、抗美援朝戦争とそのままに表記した。「鴨緑江鉄橋」は、中国式表現である「鴨緑江断橋」と表記したが、朝鮮戦争以前の時期の橋を意味する際は、鴨緑江鉄橋と表記した。

＊貿易と関連して「対北事業」「国境貿易」「中朝貿易」「三カ国貿易」という用語が出て来るが、まず、対北事業は、北朝鮮と関連した事業または貿易を意味する。一般的に国境貿易は、国境地域の限定された空間でおこなわれる貿易を意味し、厳密に述べると中朝国境貿易と中朝貿易は異なる概念と思われる。しかしながらこの本においては、中朝国境貿易は丹東でおこなわれる中朝貿易と南北貿易を包括するものとする。南北経済協力のかわりに南北貿易と表記した場合、南北経済協力は一般的に南北以外の空間で貿易がおこなわれる場合を想定しない傾向があることを勘案したものだ。そして三カ国貿易は、丹東における四集団の関係づくりを通しておこなわれた貿易を意味する時に限定した。

＊この本で四集団は、北朝鮮人・北朝鮮華僑・朝鮮族・韓国人をさす。これに対し丹東人は、丹東に住んでいる中国人と四集団を含む。

中朝国境広域図

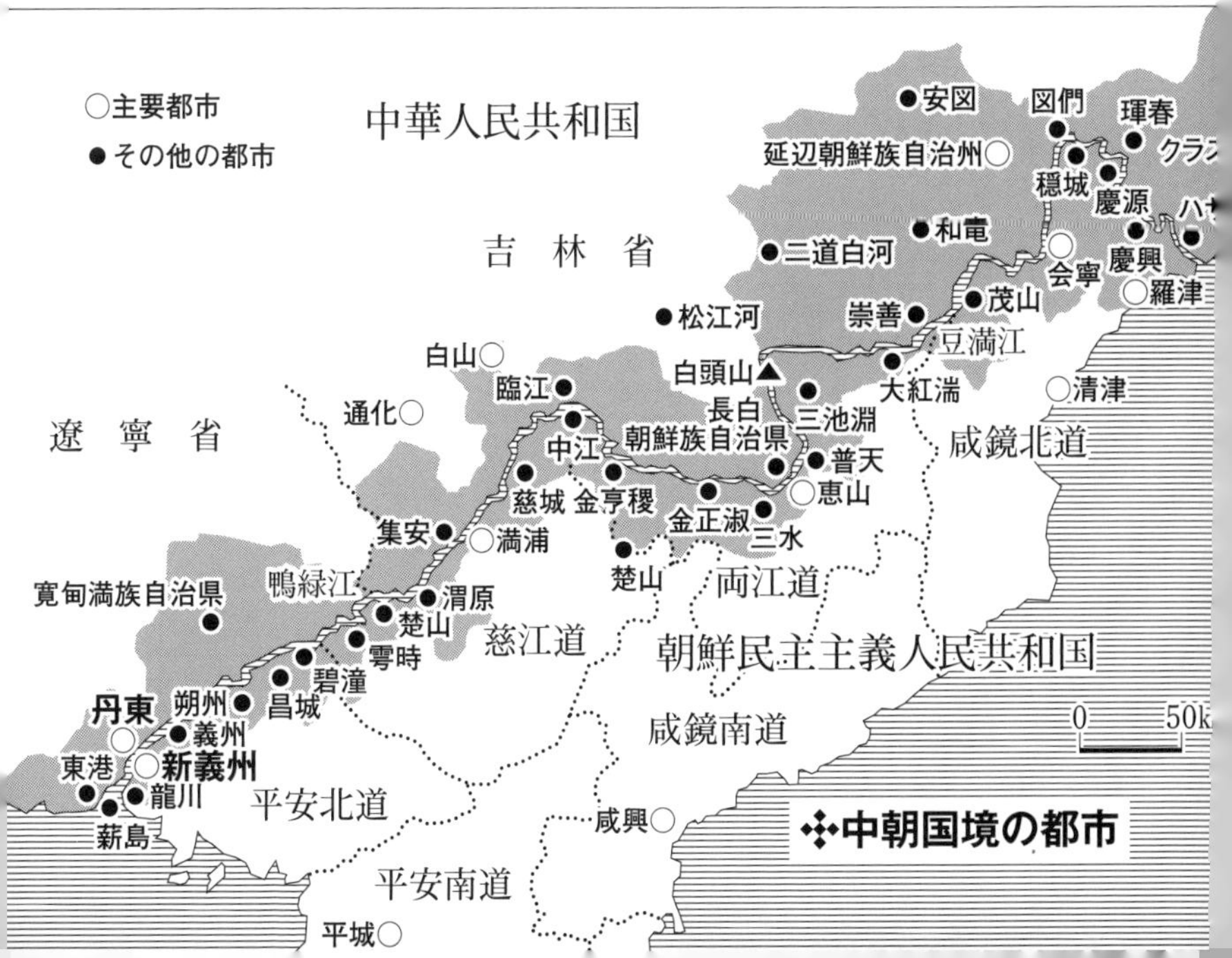

中朝国境の都市

虎山長城
・一歩跨
水豊ダム
威化島
錦江山公園★
丹東駅★
★朝鮮族通り
★丹東海関(税関)
抗美援朝戦争記念館★
丹東市街
鴨緑江★
断橋
★中朝友誼橋
★新義州青年駅
鴨
緑
江
★新義州港
新義州市街
平
義
線
月亮島
★新義州空港
鴨
緑
江
大
路
柳草島
★丹東港
★新鴨緑江大橋
丹東新都市
0
1 km
黄金坪
❖丹東市街図

はじめに

たんに南韓（韓国）の人間として、北韓（北朝鮮）、または脱北者に対して漠然とした同情と、同胞という認識だけ持っていた研究者にとって、延辺（ヨンビョン［コリア語］／イェンピェン［中国語］）の脱北者たちはあまりに馴染みの薄い存在であった。延辺の路地裏で、あるいは山中の穴蔵で出会った彼らは、研究者である私とは異なる人生を生きる人びとであった。豆満江《トゥマンガン》のすぐ傍らで一晩うずくまって眠りにつきながら、恐ろしさ半分、好奇心半分であった研究者と、同じ河であっても命がけで越えてきた人びとの間には、明らかに理解できない経験の幅が存在していた。[1]

中国と朝鮮の国境（以下、中朝国境）に対する最初の経験から、話を始めてみたい。二〇〇〇年、大学院生だった私は「戦友の屍を越えに越え～」という歌[*1]を、依然として記憶していた。南北首脳会談が実現したその年の初夏、北朝鮮と中国の間の豆満江地域における、とある経験を通じ、私は初めて真剣に「国境」とは何かを考えてみた。

中朝国境越しに見える北朝鮮の地を凝視するなかで、同行した五〇代の小学校教師は涙を流し、運動圏[*2]を自称した386世代[*3]の先輩は憤り、大学生たちは淡々とした反応を見せた。国境を前にして、おのおの多様に反応する彼らを観察しながら、私は自らに「彼らが想像する国境のイメージは何だろうか？　それはどう再現されるだろうか？」と問うた。一方で、豆満江を目の前にしたある朝鮮族小学校校長の話しは、国境についての想像力を刺激した。

脱北者問題が本格化する前は、この間、あっちの豆満江の向こう岸にある茂山地域と、活発な往来が可能でした。夜には両岸の村の青年たちが、互いに出会って一杯やりながら友達づきあいをし、誰それの家にある匙の数も知っているほどでしたから。小さな橋ひとつ挟んで、あちら側にもうちの親戚がいるので、往来するのはとても自然なことでしたが、近頃、韓国の人びとがここによく来るので、むしろ私たちが自由に行動できなくなりました。

一行とはしばし離れて、私は豆満江の川岸の韓国人が作った脱北者の隠れ家を訪ねた。到着の瞬間（朝鮮族出身の）ひとりの男性が悠々と豆満江を渡り、北朝鮮の地へと消えたと思ったら、すこしして私の前に現れた。彼はレッド・コンプレックス[*4]で武装した私に、単に物々交換の目的で豆満江の向こうへ行ってきたと、あまりにも軽い言葉を投げかけた。

その後、一カ月間、延辺地域の脱北者*5と関連したフィールド・ワークを進めながら、はたして北朝鮮人と（中国の）朝鮮族は国境をいかなる意味で記憶して想像するのか、彼らは国境を行き来しながら具体的にどのような経験をするのかが、重要な関心事となった。フィールド・ワークを終えて韓国へ戻ったとき、依然として言論と学界は豆満江を、韓国人の越えることのできないもうひとつの国境というイメージに作りあげていた。彼らは「国境構築」にばかり注目するだけで、北朝鮮人と朝鮮族の間に身をもって示された「国境往来」という暮らし方を無視していた。

二〇〇四年から二〇〇五年まで予備研究をしたのち、その翌年、私は丹東（ダンドン［コリア語］／ダンドゥン［中国語］）を博士論文の研究地域として選んだ。多くの理由があったが、そのうちのひとつは「韓国城」という名称を掲げたマンション団地が、丹東市内の中心位置に建設されている姿を見たためであった（その当時、北朝鮮と国境を挟んで向かいあう中国の国境都市の中心街に位置した韓国城は、私にとって新鮮な衝撃であった）。もうひとつの理由は、中国が朝鮮戦争*6について我われと異なった認識・表現をしていることを反映した「抗美（※）援朝記念館」*7が、丹東市内と新義州を眺望できるところに位置しているという点であった。中国の農民を研究した金光億は「一年をはるかに過ぎてようやく、私は始めて（中国の）中学校の教科書にはいまだに北韓（北朝鮮）の存在だけが記されており、高句麗と渤海*8の歴史のかわりに抗美援朝だけが記されているという事実に接することができた」と

述べた。(2) こうした脈略から中朝関係だけがあったところへ「韓国城」マンション団地があり、中韓交流が活発な時期に依然として存在する抗美援朝記念館は、韓国人である私の視線をとりこにした。

予備研究の当時宿泊した民宿（民泊〔민박〕）の朝食時間は、朝鮮族の民宿の主人から対北貿易の経験談を聞く機会となった。韓国から来た民宿の宿泊客は、丹東について何も知らなかった私に、朝鮮族通りを案内してくれ、北朝鮮の人と朝鮮族に関連した自らの貿易経験談を語ってくれながら、一緒にやらないかと勧めた。このような予備研究の断片的な経験を念頭に置きつつ、二〇〇六年には「現場への立ち入り」を試みた。(3)

二〇一二年八月、私はこの本のもとになっ

韓国城と抗美援朝記念館が共存する空間・丹東

た博士論文(4)を提出し、その後、何回か丹東を訪問している。ときには研究目的で、ときには観光ガイドの資格で、私は団体旅行客とともに仁川から飛行機に乗ったり、船に身を任せる。いわゆる「統一旅行[*9]」に旅立ちながら、私は彼らに旅行のテーマと関連して、「皆さんが丹東と北朝鮮について持っている先入観と認識には、何があるでしょうか？これから経験されることになる中身が、皆さんが常日頃抱かれてきたお考えといかに異なるか、お考えになる機会になれば幸いです」と、話題を投げかける。

旅行の間はずっと、私は旅行客に自分の知る丹東と四集団の話を解説する。旅行の日程には、今や知人であり仲間となった丹東人と会う機会も含まれている。夜半、丹東に到着

【メモ・01】研究と日常で結ぶ疎通の輪

「延辺のフィールド・ワーク以降、南韓社会に定着し始めた脱北者たちとの出会いは続いた。これはフィールド・ワークのための出会いではない、日常的な出会いの連続であった。この過程で南韓出身である研究者と北韓（北朝鮮）出身の脱北者は、差異の境界を越える南韓社会の暮らしのなかで感じる共通要素を発見した。これはまさに、理由はそれぞれに異なるが、研究者は田舎からソウルへ、脱北者は北韓から南韓社会へ、おのおの別の生を準備しているという点である。すなわち、我われは周辺で生まれ中心で生きていく方法を学んで暮らしているという、疎通のつながりを持つことになった」

姜柱源「南韓社会の区別付け」（二〇〇六年）より

した旅行客は、朝起きて新義州《シニジュ》から昇る日の出を見守り、鴨緑江《アムノッカン》をひっそりと包み込むような朝靄も見物する。彼らはホテルの朝食をとりながら、横のテーブルで食事する人びとが北朝鮮人であることに、努めて何食わない風を装ったりもする。本格的な旅行が始まると、彼らは丹東の通りと鴨緑江の岸辺で韓国社会と関連した過去、そして現在と出会うことになる。北朝鮮レストラン[*10]で北朝鮮の女性従業員たちの公演を観たあとには、複雑な心境になってさまざまな思いに浸る。そして、夜霧の立ち込めた鴨緑江の岸辺で、統一への思いのこもった願いごとなどを新義州へ投げかける。そして私が旅行に旅立つ時に投げかけた話題をつまみがわりに、夜がふけるのを惜しみつつ盃を交わしながら思いを分かちあう。

「人類学者」としてのフィールド・ワークを収めた博士論文を骨格とするこの本は、「観光ガイド」という職業を持つ私が統一旅行を夢見る読者たちに伝えたい内容として再構成された。たとえ一緒に旅行に発てなかったとしても、読者らがこの本を通じて馴染みのない空間である鴨緑江と丹東の姿を真摯に確認し、もうひとつの韓国社会に出会う機会としてくれたらと思う。あわせて、本に溶け込んでいる四集団の暮らしのなかの軌跡を追いながら、我われがこの間どのように生きてきたのかを振り返る機会としてくれることを願う。さらに北朝鮮・中国・韓国の間の関係を直視する目を養い、三カ国が一緒に暮らしていく方法が何なのかを思い悩む出発点として、この本を活用してくれればありがたい。

もし、そうなるならば、この一〇年間、人類学の視線で丹東と四集団、そして統一の絵だけを思ってきた私としては幸いだ。今や私は読者たちの旅行の友となり、一緒に語らうことを夢見たまま、注意深く、そして慎重に「安保旅行」ではない「統一旅行」へと、読者のみなさんを招待しよう。

はじめに訳注

＊1　**「戦友の屍を越えに越え～」という歌**　韓国戦争当時に製作されて兵士たちが愛唱した、いわゆる「陣中歌」のひとつである『戦友よ眠れ［전우야 잘 자라］』（一九五〇年。兪湖作詞・朴是春作曲）を

指す。その歌詞には洛東江（一節）、秋風嶺（二節）、ノドゥル江辺（三番）、漢江（四番）と北進する韓国軍の姿が、戦死した戦友に対する惜別の叙情とともに盛り込まれており、中国軍の参戦によって再度敗走することになる鴨緑江進軍まで、兵士たちによく歌われていたという。そうした歌が著者たちの学生時代である八〇年代にも童謡であるかのように歌われたという。

＊2　**運動圏**　韓国国内の政治状況において、政府に対して批判的な学生運動・労働運動など、在野勢力を指す言葉。議会政治のインサイダーとしての「政治圏」と対照的な使われ方をする。

＊3　**386世代**　一九八〇年代後半以降、当時の民主化運動を推進した青年世代を、今や三〇代になった、一九八〇年代に大学生活を送った、一九六〇年代生まれの人びととして、その数字を集めて「386世代」として特徴づけた。二〇一七年、朴槿恵政権の退陣で与党となった現在の政権勢力は、この「386世代」の後日の姿という意味で「586世代」と呼ばれたりもする。

＊4　**レッド・コンプレックス**　共産軍との戦争経験と、その後の権威主義政権による反共主義の国是化により、冷戦期以降、共産主義を始めとする左翼的な政治性向や勢力に対して反射的で身体化された拒否感あるいは偏見や固定観念を持つようになった、いわゆる自由主義陣営における市民の政治的態度・身振りを指す。

＊5　**脱北者**　密出国などの自発的手段や偶発的事故による亡命などにより、北朝鮮公民としての地位を放棄することになり、その権威的支配から離脱することになった旧北朝鮮住民のこと。

＊6　**朝鮮戦争**　原書では筆者は「韓国戦争」と韓国式に表現している。それは語彙の違いとともに戦争に対する認識論的な違いをもつ選択であるため、もともと朝鮮戦争、韓国戦争、抗美《（米）》援朝戦争などの呼称は、同じ戦争でありながら区別して選択されているものとして扱わなければならないが、「韓

国戦争」という呼称が日本社会でほとんど使われていない言語的実情を考慮し、これを読者の可読性を優先する意味で「朝鮮戦争」とした。

＊7　**抗美援朝記念館**　遼寧省丹東市の鴨緑江を臨む英華山に位置する、朝鮮戦争を中国人民によるアメリカ帝国主義への反抗と朝鮮民主主義人民共和国に対する救援の戦争とみる歴史観に立った、中国の国家的な戦争記念施設。一九五八年に建設され、一九九三年に再開館した。約一八万二〇〇〇平方メートルの敷地に、記念館・記念塔・パノラマ館・国防教育院で構成される施設を持ち、戦争の遺物である文物・約二万点を収蔵する。

＊8　**高句麗と渤海**　四世紀から七世紀中頃にかけて百済・新羅とともに朝鮮半島を三分して勢力を争った高句麗、その高句麗人であった大祚栄が建てた国家であり支配層は高句麗人だった渤海。この高句麗および渤海の両国が現在の中国東北地方をその支配領域としたという事実が、現代韓国に続く韓国史の流れとして重要だと認識されている。

＊9　**統一旅行と安保旅行**　前者は「分断の痛みが込められている空間」として対象地域を見つめ、平和統一された将来を見通す誓いを抱きつつ歩くものとしておこなう旅を、後者は「分断の現実が刻まれている空間」として同じ地域を見つめ、国家安保を再認識してその危機を克服する誓いを抱きつつ歩くものとしておこなう旅を指す。

＊10　**北朝鮮レストラン**　原書では韓国風に「北韓食堂」と表現されている。一方、日本では上記のほかに、その省略形で「北レス」などと俗称されている。ただし、それぞれの食堂は「柳京食堂」、「平壌玉流食堂」「北京海棠花」など、北朝鮮の有名レストランを模した名前を掲げるなどのかたちで、北朝鮮系食堂としての国家アイデンティティを表す場合が多い。北朝鮮料理の提供と、女性従業員

の歌謡ショーを特徴とする。ただし本書にも指摘のあるように、北朝鮮当局の運営によるものの他に、その特徴を真似て中国人事業家などが運営するものがある。

はじめに原註

（1）姜柱源［강주원］（二〇〇六）

（2）金光億［김광억］（二〇〇〇）四六頁

（3）丹東が中国の東北三省に属しているという点を勘案するならば、二〇〇〇年、延辺で一月ほど脱北者関連フィールドワークを遂行したことと合わせて、二〇〇四年と二〇〇五年にそれぞれ二〇日ほど東北三省の主要拠点都市（瀋陽《シェンヤン》・延辺《イェンピェン》・哈爾賓《ハルビン》）と朝鮮族居住地域に通いながら、博士論文のためのフィールドワーク地域を模索した経験も、本書の基礎となっている。

（4）博士論文は二〇〇四年（三泊四日）と二〇〇五年の予備研究（五泊六日）を経て、二〇〇六年一〇月から二〇〇七年一二月（約一五カ月）まで行ったフィールドワークを基礎に構成されている。そして二〇〇八年二月（五泊六日）と八月（九泊一〇日）、二〇一一年七月（六泊七日）と一二月（七泊八日）に補充研究を行った。最後に初稿が完成したのち、キー・インフォーマントたちに再検証を受けようと六月（五泊六日）と七月（三泊四日）に丹東を訪問した。

第一章

人類学者、国境都市・丹東を読む

国境を築くことと国境を崩すこと

一九五三年七月二七日、朝鮮戦争の休戦協定が発効した。その後「休戦ライン」という名の軍事分界線が生まれ、これは間もなく断絶の象徴となった。非武装地帯に横たわる鉄条網の休戦ラインは、韓国人や北朝鮮人には越えることのできない壁であった。休戦ラインのなかに人が自由に往来できる場所はない。このように国境と国境地域は、森厳《しんげん》なるイメージを産みだす。

しかし二一世紀を前後して、国境の持っていたイメージに亀裂が生じ始めた。[(5)] 韓国社会においても休戦ラインに対する多様な層位が生まれたのだ。板門店《パンムンジョム》と臨津閣《イムジンガク》、離散家族[*11]の再会、脱北者、金《クム》剛山《ガンサン》観光、開城《ケソン》工業団地[*12]（観光）、そして盧武鉉《ノ・ムヒョン》前大統領が（休戦ラインを越えて）首脳会談を開いたのち、休戦ラインは単に越えてはならない国境ではなく、いつでも取り壊される可能性のある、往来することのできる場として認識され始めた。

二〇一〇年、韓国政府はＤＭＺ（非武装地帯）を世界的な観光地として造成すると発表した。しかし、我われは同じ年に天安艦事件*13と延坪島砲撃*14が休戦ラインの間近で起こる場面を目撃することとなる。休戦ラインはふたたび凍りついたが、国境に対するもうひとつの論議が韓国社会で活発になった。いまや国境は「物理的」国境ではなく、「観念的」国境の次元へと拡張されている。たとえば二〇一〇年、ＫＢＳではＦＴＡ（自由貿易協定）と関連し「韓国の経済領土が拡がっている」というＣＭを放映した。国家間経済活動と交流が、国境を崩しているのだ。

このように、国境を眺める視線は相反し、各時代の社会的脈略によって国境の意味は異なった。こうした脈略から、韓国社会と関連したもうひとつの国境があるのだが、ずばり鴨緑江と豆満江が国境と見做される中朝国境である。この国境を眺める視線もまた単純ではないなかで、そこが北朝鮮と中国が出会う地点であることに注目する必要がある。中朝国境はまた休戦ラインという閉鎖された国境の延長線上で眺めうる場所である。(6) 二〇〇八年『朝鮮日報』は「天国の国境を越える」という企画を通じて、中朝国境地域で活動する脱北者を取り扱った。このタイトルは、単に閉鎖されたイメージで刻印された中朝国境の断面だけを扱った印象を与える。じっさい内容においても中朝国境を往来する北朝鮮人の存在が漏れていた。中朝国境地域の話題は、脱北者に限らない。北朝鮮人がおり、韓国人もあり、朝鮮族と北朝鮮華僑もいる。彼らの間をつなぐ輪を探ってみれば、我われはもうひとつの人生に出会うことになるだろう。

▼サプリメント・1▲　国境はいかに解釈されているのか

テッサ・モーリス＝スズキ〔歴史学者〕は、研究者らが国境を取り囲まれ、法によって分節されたり、侵害を受ける場所とだけ見ることについて異見を持つ。[7] 彼女はこうした国境に生きる人びとの生活を考察することで、国境のなかの国民アイデンティティとともに、国境を跨いで行き来する人びとのハイブリディティ（Hybridity）に焦点を合わせることを提案する。レナート・ロサルド〔文化人類学者〕は、国境が南部テキサスにどのようにして浸透し、入り込んできたのかに注目する。彼は国境地域を国境葛藤、そして文化と政治が複雑に絡みあう領域、異質的で変わりゆく隣人を簡単に包含する空間として認識する。[8] パク・ジュンギュ〔文化人類学者〕は、金剛山国境観光を「舞台化されたリアリティ」の概念で解釈し、国境を「消える分断線、強化される文化境界線」と規定する。[9] 彼は国境を象徴化する要素（出入概念・手続き、審査過程、パスポートとビザ、朝鮮国号の印章、政治的問題と関連した観光客の注意事項、国境を越える体験、北朝鮮軍人との出会い）などが、観光客のアイデンティティのみならず、国境に対する観光客たちの認識にいかに作用するのかを分析する。

中朝国境と四集団

二〇〇〇年代になり、韓国社会の人びとはコリア語[*15]でアイデンティティを示す単一民族国家というこれまでの信念が、挑戦を受ける時代に生きている[(10)]。朝鮮族、脱北者、そして数多くの外国人が、コリア語を上手に使いこなし、韓国人とともに生きている。ただし、コリア語を共有するとはいえ、国民と民族において多様なアイデンティティを帯びた人びととの出会いは、いまだに多少ぎこちないものである。こうした様相は、海外であっても変わりはない。在外コリアン[*16]七〇〇万人時代、コリア語を共有するいくつかの集団が各自のアイデンティティを維持しながらともに暮らす地域を発見することは難しい[(11)]。

しかし、そのようなところがある。北朝鮮と中国の国境にある都市・丹東。ここではいくつかのアイデンティティを持った四集団が混じりあって暮らす。北朝鮮人・北朝鮮華僑・朝鮮族・韓国人で構成される四集団は、コリア語を共有している。しかし、彼らは時に同じ、時に異なる国民および民族として、互いを認識し、生きてゆく。あわせて丹東の四集団は、国境という空間的限界の与える影響力もまた、日常において体感し、暮らしている。丹東は、一九九〇年代を前後して国境に向かう多様な認識と実践が現れ始め、そこで国境に対する多様な読み、築くこと、崩すこと、越えることが試みられたという文脈の下に、注目されなければならない都市である。

このように、国境を研究するうえで関心事となる事項は、丹東に集約されている。とりわけ中朝国境を活用する四集団のライフスタイルには、国境についての認識とその変化が余すところなく表現されている。丹東の中朝国境と四集団は、国境と関連したグローバリズムの問題や、国民・民族アイデンティティなどを分析する対象としても意味を帯びる。国境と関連した韓国社会の歴史的な流れと、研究地域である丹東の関係を究明する作業もまた、気軽に通過するわけにはいかない。丹東は北朝鮮・中国・韓国が出会う場であり、丹東に居住する四集団は国境を行き来し、互いに複雑で多様な関係を結んでいる。そこにおいて国境の意味は絶えず変わるなかで、国境は越えられるものであり、かつ障壁として機能する(12)。

丹東に入るときは、疑問を抱えねばならない。はたして丹東では、国境はどうような役割をするのか？　丹東で国境を媒介と見なして生きていく人びとが結ぶ関係の具体的な地平は何か？　この地域で人びとが認識する、国境あるいは国境と関連する行為は、いったい何を意味するのか？　丹東の国境は、既存の国境に対する位置・意味・性格といかなる弁別点をもつのか？　一方で中朝国境の特殊性は、四集団の暮らしにどのような影響を与えているのか？　彼らは中朝国境のみならず、中韓国境を暮らしの手段としてどのように活用するのか？　丹東に属する三カ国（北朝鮮、中国、韓国）の関係は、国境貿易と国境観光を通じてどのように結ばれ、交差するのか？　この長い疑問は、丹東で生きていく四集団を語るための出発点である。

中朝国境は、暮らしの道具であり現場

国境は、時に弛みながらも、張りつめた緊張感に包まれたりもする場だ。四集団は、そうした特性をあますところなく帯びた中朝国境の変化を利用する術を知っている。丹東の四集団は、中国の国境地域に暮らしているだけではなく、国境と関連した生活をしている。彼らは、暮らしの手段である国境貿易と、国境観光に従事しながら、中朝国境を活用する。国家権力が作動する中朝国境は、四集団のライフスタイルと手段に影響を与える。なによりも国境は、アイデンティティの基準となる。四集団は、それぞれ北朝鮮・中国・韓国という三カ国の国民アイデンティティを維持しながら、中朝国境あるいは中韓国境を行き来する生活を営んでいる。これは一九九〇年代前後に始まり、今も進行中である。二〇〇〇年代に入って中朝国境を象徴化する諸要素が強化されている。こうした状況において、四集団は彼らの持つ国民的・民族的条件にしたがって、中朝国境を直接的・間接的に行き来する。

四集団は、不法と見なされる経済活動だけを営んでいるのではない。彼らは共有地域が存在する中朝において、自分だけの方式にそって、合法と便宜的手段の両者を行き来する。この過程で、「国境の弱化」に対する試みもあるが、「国境の強化」という側面を積極的に活用した貿易と観光の方式を、戦略的に選択することもある。以上の内容において見たように、一九九〇年代前後から、

中朝国境では北朝鮮と中国の国境の役割と合わせて、（韓国を含む）三カ国にまたがった国境へと役割上の変化がおこった。

丹東を読むための準備

国境河川である豆満江（約五四七キロメートル）と鴨緑江（約八〇六キロメートル）を間に挟んで、北朝鮮と国境を接している中国の主要都市は、丹東[13]・集安《ジーアン》・長白《チャンバイ》・図們《トゥーメン》・琿春《フエンチュエン》などである。このうち丹東は二〇〇〇年代を前後して、「中国最大の辺境（国境）都市」と称される。このフレーズは、中朝国境地域に位置した丹東の位相を象徴する意味で宣伝・刻印されている。また丹東は、沿辺《えんぺん》・沿海《えんかい》・沿江《えんこう》という三沿の地理的特性によっても説明される（「沿辺」といえば、国境や川などを挟んで境界づけられた土地を言い、「沿海」といえば海に近い陸地を意味し、「沿江」といえば、川岸にそって広がる土地であり、ここでは鴨緑江と面していることを意味する）。三沿の地理的特徴を持つ、もうひとつの都市を挙げるとすれば、新義州であろう。丹東と新義州は、国境・西海・鴨緑江を間に挟んで向かいあう。別の言い方をすれば、西海と鴨緑江には丹東と新義州の境界の役割をする国境が存在するということだ。

私はまずこの本において、丹東と新義州の形成された時期である一九〇五年前後と、中朝国境条

丹東と新義州の人びとは、鴨緑江、朝靄、そして太陽と月だけを共有するのではない。
彼らは国境を行き来しながら、生を共有している。

約の時期である一九六〇年代について簡略に言及したが（第七章・サプリメント３「胎動をともにした、丹東と新義州」参考）、中朝国境ならびに国境地域については、一九八〇年代前後から叙述しようと思う。したがって、この本が重点的に扱う時代的範囲は、丹東において四集団が関係を形成し、暮らし始めた、一九九〇年代から二〇一二年までである。

一方、私は中国と韓国の市概念と範囲についての混線[14]を減らすために、「丹東」は丹東国境地域、すなわち丹東市内を中心とした半径（東西）五〇キロメートル前後に及ぶ、鴨緑江ならびに中朝国境周辺の中国側地域を意味する時に使用し、他方「丹東市内」はその都市的特性（住居密集）が現れるところ、つまり丹東市内で売られている観光地図に表現されている地域を指し示す時に限定した。一方、鴨緑江河口の海の境界部分を除外した中朝国境は一三四四キロメートルである。[15]この本における狭意の中朝国境は、丹東および新義州の国境地域の間の国境を意味する。

国境を読むことを実践する人びと

四集団は、丹東でおのおの生活を追求するというよりは、有機的な関係のなかに暮らしている。まず北朝鮮人は北朝鮮国籍を維持したまま、経済的目的のために永らく居住したり、あるいは短期出張で来た人びとである。彼らは丹東に暮らしているが、中朝国境を通ってふたたび北朝鮮に帰る計画を持っている。北朝鮮華僑は、故郷は北朝鮮であるが国籍は中国国民だ。彼らは北朝鮮を離れたものの、経済活動のために中朝国境を行き来しながら、新しい人生を追い求める人びとだ。朝鮮族は中国国籍であり、丹東が故郷であったり、中国の他の地域で生まれた。彼らは中朝国境、あるいは中韓国境を活用し、経済的利益を図る。そしてここには、やはり経済的目的のために国境を活用する韓国人がいる。

このように四集団の人びとは、国民・民族のアイデンティティが重なったり、異なる。しかし彼らをめぐる何よりも重要な共通点は、丹東で暮らしていく理由と意味が似ているということだ。四集団の人びとは大部分、経済的動機と利潤追求のために、中朝国境あるいは中韓国境を越えて丹東にやって来る。彼らは中朝国境を経済的な富を獲得しうる手段として認識する。

各集団が丹東に移住した時期をもうすこし具体的に見てみると、北朝鮮人は、一九八〇年代以降、就職を目的として一～二年、あるいは二年を越えて居住する人びとと、出張で来る人びと、または脱北者ではないが不法滞留の性格の強い短期滞留者が大多数をなす。そして国境貿易と関連して、国境を毎日のように行き来する人びともいる。北朝鮮華僑は、一九九〇年代前後、おもに北朝鮮から丹東に移住した人びとである。彼らは一年に一度は北朝鮮に渡り戻ってくる人びとと、随時中朝国境を行き来して暮らす人びととに分けられる。また、北朝鮮華僑の身分を放棄して中国国民として暮らしながら、国境貿易に従事する人びともいる。

朝鮮族は丹東の地元民と、一九九〇年代を前後して中国の他地域から移住してきた朝鮮族に区分される。ここには就職を目的に韓国に居住した後に中国に戻り、丹東に定着する人びともいる。

韓国人はおよそ一九九二年前後、または二〇〇〇年以降に居住した人びとが主流をなす。彼らは丹東と韓国を随時往復しながら、二つの国の暮らしを並行したりもする。

居住期間を基準として四集団をあらためて分類すると、北朝鮮人と韓国人はいつかは帰るであろう北朝鮮と韓国を思って暮らす反面、北朝鮮華僑と朝鮮族は丹東をこの先ずっと暮らしていく場と考えながら、固有のよりどころを作る。

四集団の職業と関連した特徴は、彼らの間に結ばれる関係が基盤となる。ただし、北朝鮮人と韓国人は、互いの(北が南の、南が北の)会社に就職したり、仕事に関連して互いの国境を直接出入りすることはない。北朝鮮華僑と朝鮮族は、他の集団と関係のない仕事も職業として選択しているが、自分たちの本業はそのままにして、四集団と関連した貿易ならびに観光業などを兼行することが多い。北朝鮮華僑と朝鮮族は、職業領域において互いにかちあう部分が多いが、ふたつの集団はおもに行商・通訳・事業パートナー・会社員や、食堂・店舗従業員のような仕事をする。

このほかにも経済活動を目的とせず外交や教育を目的として丹東に暮らす北朝鮮人、おもに北朝鮮に暮らしながらも家族に会おうと丹東に頻繁にやってくる北朝鮮華僑、ほかの三集団とまったくかかわりなく暮らす朝鮮族、三集団との交流というよりは単に中国で暮らすために来た韓国人も、また厳然として存在する。

彼らを含む四集団の規模は二〇〇〇年代以降、北朝鮮人と北朝鮮華僑が二〇〇〇名以上、朝鮮族が八〇〇〇名以上、韓国人が二〇〇〇名前後と推算されている。朝鮮族がひたすら増加していることを除くと、約一〇年間、大きな変化はない。しかし二〇一〇年を起点として、四集団のうち北朝鮮人の規模が変化している。北朝鮮人たちが丹東の縫製工場、あるいは水産物工場に大挙就職したためだ。二〇一二年一〇月現在、丹東の人は彼らの規模だけで一万余名を越えるものと把握されている。

第一章訳註

＊11 **離散家族** 朝鮮戦争の過程を通して、あるいはその前後の政治的・社会的影響によって、その構成員が不本意にも離れ離れになった家族のこと。近年に至っては、故意の越境、拉致や捕虜、残留などの多様な原因、軍人・民間人を問わない多様な属性、戦後の拉致被害者など、離散の契機が広く解釈される傾向にあるという。

＊12 **開城工業団地** 原書では韓国社会での通称に従い、「開城工団」と記されている。二〇〇〇年の6・15共同宣言を受けて締結された「開城工業地区建設運営に関する合意書」(二〇〇〇年八月二二日締結)をもとに、北朝鮮の開城市鳳都里一帯の九万三〇〇〇平方メートルの敷地に造成された工業団地。二〇〇三年に着工され、二〇〇七年の第一段階の分譲および基盤施設竣工を経て、南の資本お

よび技術、北の土地および人材が結合がされる形の南北経済協力事業が推進されてきた。しかし二〇一六年二月一〇日、北朝鮮による長距離ミサイル発射を契機として韓国政府がその閉鎖を宣言、入居稼動中だった一二四の企業が撤退指示に従わねばならなかった。閉鎖前には年間生産額が約五億ドルの規模に達していた。

＊13 **天安艦事件**　二〇一〇年三月二六日、黄海・白翎島《ペンニョンド》付近の海上で大韓民国海軍所属の哨戒艦「天安」（PCC772）が突然沈没し、乗員である海軍将兵のうち四〇人が死亡、六人が行方不明になる惨事が起こった。沈没原因の究明が必要な奇妙な事件であることから、大韓民国・オーストラリア・米国・スウェーデン・英国の専門家で構成された合同調査団が調査をおこない、彼らは朝鮮民主主義人民共和国の魚雷攻撃が原因であることを明らかにした。しかし韓国内外で異論が取り沙汰され論争となった一方、国連安保理では結局、攻撃主体の明記ができないままに議長声明が採択されるなど、混乱が続いた。

＊14 **延坪島砲撃**　二〇一〇年一一月二三日、北朝鮮軍が仁川甕津《オンジン》郡に位置する大韓民国領土の大延坪島を突然速射砲で砲撃し、軍と民間が大きな被害を受けた事件。北朝鮮はこの攻撃を韓国軍と在韓米軍の陸海空軍連合訓練の実施に対する報復だと主張し、一方、韓国は延坪島での射撃訓練や連合訓練を貫くなど、これに強硬対応した。

＊15 **コリア語**　韓国と北朝鮮は、分断国家形成の過程でそれぞれ国語規範を作り、これを基に国語教育を長く国民に実施してきた。これに加え、もともと地域的言語の違いもあり、相反する体制で形成されたそれぞれに特徴的な言語文化などの影響を受けてきたため、もともと単一の言語集団であったにもかかわらず両国国民が使う言語はかなり異なる。ただし本書に出てくるように、四集団はそ

の違いを持つ各自の言語をやりとりしながら、ひとつの共通の疎通手段としてそれら言語の総体に対応しているという事実がある。他方、彼らはやはりそれぞれにそのユニバーサルな言語を韓国語だの朝鮮語だのと称するであろうし、原著者もそれを韓国語と称している。しかし、日本語版では凡例ですでに説明した語彙的事情があるため、それをコリア語という仮想の名称に置き換えた。

＊16　**在外コリアン**　原書では「海外韓人」と表現されている。韓人は民族の総体を表現する語彙として長く使われてきたものだが、日本語圏では馴染みの薄い感があり、また同じ意味で使われる「朝鮮人」と同様に南北の国民の意味を表す言葉として狭い意味に誤読される憂慮がある。そのため、これもまた日本語の呼称として不自然ではあるが「コリアン」に置き換えた。

第一章原註

（5）参考までに、世界各地の国境に関する現住所を整理すると、次の通りである。Williams（2004）は境界の葛藤と国境紛争が二〇世紀世界史の中心にあったと語る。Donnan & Wilson（1994）は世界の国民国家の間の境界地域を三一三カ所と推算している。二〇一〇年、韓国では〈障壁を越える人びと（장벽을 넘는 사람들）〉が放送された。このドキュメンタリーは東西に引き裂いたベルリンの壁のように、米国とメキシコ、ヨーロッパ外郭、イスラエルなどでは障壁が設置されて一種の物理的国境の役割をしていることを知らせてくれた。障壁は人を分離する境界として作用する。アメリカン・ドリームを阻止するために、アフリカ国家からの人力流入を防ぐために、テロを防ぐために障壁が設置されたのだ。国境と関連した問題は、政治と外交にだけ極限されない。この中心には経済的利害関係が置かれている。

(6) イ・ドンジン［이동진］（二〇一〇）三六頁

(7) Morris Suzuki (2006)

(8) Rosaldo (1989)

(9) パク・ジュンギュ［박준규］（二〇〇六）

(10) 金光億［김광억］参照。

(11) 金賢美［김현미］（二〇〇八）は英国南部地域に韓国人、朝鮮族と併せて脱北者たちが定住していることに注目し、コリアン・ディアスポラ集団居住地は想像の共同体というよりも、コリアンの間のトランスナショナルな実践が競争し競合しながら生成される現場であると言及している。

(12) 丹東に関する韓国人類学会の代表的な研究として「中国遼寧省コリアン同胞の生活文化［중국 요녕성 한인동포의 생활문화］」を挙げることができる。この研究は朝鮮族研究が集中された延辺地域に対する諸論文と異なり、一九九七年遼寧省地域の朝鮮族に対する「初期の試み」（日常の現実のなかで、参与観察を基盤とした人類学的現地調査）として重要な意味を持つ（金光億［김광억］ほか（一九九七））。この報告書は国境を媒介とした丹東研究のキーワードを提供してくれる。とりわけ、それから一〇年たった時点で行われた本研究は、その間の変化の深さを比較学的に分からせてくれる。「中国同胞と北朝鮮の同胞の間に行き交う話に、第三者とならねばならなかった」あるいは「民族関係と民族意識に関する問題は、事案の政治的敏感性を考慮してここでは簡単に取り扱う」（金光億［김광억］（一九九七）二〇〜二二頁）と叙述した部分がそれである。私はフィールドワークを通じてこうした表現の意味するところの核心が何であるのかを知ることができ、インフォーマントが回避した内容に込められた意味を再解釈することができた。例えば、中国政府資料と丹東朝鮮族の研究

時に注意せねばならない点、韓国のみならず北朝鮮の影響を受けている丹東と朝鮮族の存在、北朝鮮の話について朝鮮族が回避する理由、北朝鮮と関連した海洋貿易の存在、文化大革命の影響でコリア語が消えた背景とコリア語活性化の契機、国境と関連した朝鮮族の国民アイデンティティの変化、国境貿易と朝鮮族の役割まで、国境概念のなかった丹東の国境地域は、私の研究の方向と方法論を提示してくれた。

（13）中国で丹東市は、実質的に丹東地区（市区）全体を指す言葉だ（金鐘範［김종범］（二〇〇〇））。これによって、東西に一九六キロメートル、南北に一六〇キロメートルに及ぶ広い農村地域、東港《ドンガン》市、鳳城《フォンチョン》市、寛甸《クワンティエン》満族自治県などを含む。したがって本書の研究地域を丹東市と言及すれば、研究地域に対する中国と韓国の認識差異が生じる。そして丹東市内は中国の行政名称において丹東市ではなく丹東市区である。反対に、丹東市内は公式行政単位ではないが、一般的な用語として使われている。

（14）金光億［김광억］（二〇〇三）四四頁

（15）イ・オッキ［이옥희］（二〇一一）二八頁参照。

第二章

現場のなかへ

はじめに——私に迫った三つの異なる風景

二〇〇六年から二〇〇七年まで、私は鴨緑江の岸辺に位置した高層マンションの二〇階の部屋を月極で借りて暮らした。そこからは鴨緑江、新義州の岸辺、丹東市内がおよそはっきりと見えた。朝と夜半に窓の向こうに見える北朝鮮、中国、そして二つの国の国境地域である鴨緑江の岸辺が、それぞれ異なる風景として迫りながら私の脳裏を刺激した。しかし、丹東市内にある居住空間全体の意味を把握し、そこに暮らす人びとの姿を参与観察[*17]するための意図と、現地で与えられた条件を調整してみたところ、成り行き上、居場所をしょっちゅう移すことになった。まず最初のふた月は、韓国人である夫と朝鮮族の妻が運営する民宿[*18]、そして朝鮮族が運営する自称ホテル型民宿に身を寄せた。

　この二カ所は、北朝鮮人や北朝鮮華僑のおばさんを賄い婦として置いており、私は観光客や事業のために来た韓国人、北朝鮮華僑たちと顔見知りになることができた。さらに四集団の経済的・社会的位階秩序を把握することができ、集団の構成員がいかにお互いに関係を結んで暮らしているのか、そのようななかで丹東において民宿が占める位置と役割が何なのかを、知ることができた。その後、韓国人がほぼ暮らしていなかったり、新たに集まって住むマンションなどに暮らしながら、丹東の人びと特有の生活スタイルに適応していった。

　研究の最終局面では、丹東に関連した重要な情報を提供してくれたふたりの家で私の宿所を提供してくれ、このことでインフォーマントといっそう深く話しあうことができた。

　フィールド・ワークを始めるまえに、丹東に居住する人びととは何ら社会的関係を結んでいない状態であり、顔見知りの者のひとりもいなかった。ひとまず知人にもらった丹東に居住する韓国人の携帯番号ひとつだけを信じて、ここでの生活を始めた。こうした状況で、私は宿所である民宿を根拠地として丹東の人と仲良くなろうと、午前中は中国語を学ぶことに努めた。そして午後から丹東市内と鴨緑江の岸辺を歩き回りながら、写真を撮り、あちこち覗き回った。この過程で丹東の全般的な地域的特性に馴れ、人びとの日常を覗きみたりもした。夕方には、人びとと新たに出会い、紹介してもらう場によく出掛けた。こうしたパターンは、ほぼ毎日反復された。

人脈づくり――友人らを通じて学ぶ

フィールド・ワークを始めてひと月後、紆余曲折のすえにLと連絡がついた。彼は丹東で四年以上暮らした、いわゆる「対北事業[*19]」をおこなう韓国人であった。研究上重要な情報を提供してくれたLのおかげで、現地の人びととの交流回数や親密さの幅が、以前に増して変わった。Lは初対面以降、食事と飲み会をほぼ毎日セットしてくれ、多様な人びとが席をともにした。話しを交わすなかで予備研究段階では充分にわからなかった、北朝鮮華僑の存在を始めとした四集団が国境地域で生きていく姿について、段々と目が見開かれることになった。

このように、人類学で言うところの「ラポール[*20]（rapport）」形成方式のように、ひとりを知るとその人がまた別の人を紹介してくれる場が続いた。昼夜を問わずに飲み会が持たれ、深夜であろうと連絡が来れば喜んで馳せ参じた。四カ月が経って、Lは「もう自分よりも丹東の人をたくさん知っている」と、冗談で言ったりもした。

単純な研究対象から、研究者である私とのキー・インフォーマント[*21]（key-informant）としての関係が始まったLとその知人は、四集団の暮らしと丹東国境地域について、すこしずつ詳しく話してくれた。キー・インフォーマントとなった彼らは、彼ら自らが考える中朝国境と、その国境を利用した貿易方式を説明してくれただけではなく、彼らの生活の根拠地である貿易がなされる空間に一緒に行こうと、先に電話もしてくれた。

朝鮮族は、参与観察を通じて得られないフィールド・ワーク以前の時期の丹東について、昔話をしてくれた。彼らと交わした会話のなかで、一九八〇年代前後、新義州の人びとと共有した鴨緑江での暮らしを始めとして、父母に付き従って新義州に行き行商をした経験のおかげで裕福に暮らしたという話、虎山長城が万里の長城*22に変わっていく過程についての目撃談、飛び石の橋があった時代の日々の出来事と風景。「鴨緑江には国境がない」という言葉に込められた、国境に関する彼ら固有の認識が含まれていた。

私の一日の日課における飛び石の橋であり休憩空間であった、Lが運営する対北会社のなかの風景は、本格的なインタビューをする前に、すでに多くの話を聞かせてくれるかのようであった。北朝鮮縫製工場の職員たちの机の上に置かれた書類、壁面に貼られた丹東―平壌間の国際列車ダイヤと民族経済協力連合会（民経連）*23のアドレス、職員たちの通話内容、倉庫に積まれたサンプル衣類、そして職員らの仕事を手伝ってやろうと一緒に赴いた縫製工場・保税倉庫・丹東フェリー*24の船着場などは、中朝国境貿易ならびに三カ国間の貿易がなされる方式を、身を持って体験する機会になった。

北朝鮮華僑は、税関の建物の内部まで案内しながら北朝鮮入国の手続きを踏む過程を説明してくれ、平壌行き列車にしばし上って北朝鮮人に物を送る様子を見せてくれたりした。朝鮮族通りで商

丹東の鴨緑江の岸辺を歩けば、北朝鮮人が散歩する姿を簡単に見ることができる。

2010年を前後して南北関係が急変しているが、丹東では10カ所あまりの北朝鮮レストランが営業中だ。このうち2～3カ所の食堂は、同時に500名以上の客をさばくことができ、基本的なコース料理は韓国のお金でひとりあたり3万ウォン以上である。おもな顧客は中国人である。

店を運営する韓国人や朝鮮族は自分たちの運営する商店から出て来て、お茶を飲みながら商店のなかの物の流通がどのように展開するのかを語ってくれた。この時、従業員たちが北朝鮮人に物を売る姿を直接見たりもした。

　旅行社の社長である韓国人に会ったこともあった。彼は私に観光ガイドのための韓国文化教育を依頼した。その後、旅行社の事務室には私の使う机が運び込まれ、丹東内のいくつかの観光地でよく出会った北朝鮮華僑、あるいは朝鮮族の観光ガイドは、韓国観光客の丹東旅行日程に同行する機会を用意してくれた。北朝鮮華僑と朝鮮族マダムたちは、喫茶店のお客がいない時、ぽつりぽつりと対北貿易の経験談を語ってくれたりした。また、常連になるくらいに北朝鮮レストランと店を訪れた私は、女性従業員たちとしょっちゅう会話を交わした。朝鮮族と韓国人は、北朝鮮人との事業相談や飲み会がある時には、私を喜んで呼んでくれた。

フィールド・ワークの深化——関係を結ぶことの難しさ

参与観察の現場はおおかた朝鮮族通り（朝鮮通りとも言う）にあった。インフォーマントが増えたことで、研究の方向性をまた別の対北会社事務室、縫製工場、朝鮮族通りにある商店、貿易現場へと移すこととなった。馴れるまではこのような研究の方向性を繰り返し辿った。昼食と夕食を言い訳にしてインフォーマントに会おうとひたすら連絡し、昼は彼らの職場に直接尋ねたりもした。鴨緑江・鴨緑江大路・船着場をふくめた国境観光地などは、泊まっている宿所からそれほど遠くないところにあった。宿所の窓越しに観光地が見えたりしたものだ。鉄条網のある鴨緑江大路、一歩跨《イーブークァ》を含めた虎山長城は、観光ガイドの役割を引き受けて折にふれて訪れたところでもあった。

二〇〇七年初めからは、参与観察者という位置も重要であったが、現地の人びととより濃密な関係を築こうと努力した。この時期に丹東にある韓国教会[*25]側から礼拝に出て来いという勧誘をたくさん受けたが、行きはしなかった。そのため四集団のうちの韓国人と会う機会が減る有様であった。この頃、偶然に韓国教会で尊敬される長老Hと食事をすることとなり、食事の途中でその方が私と同郷で、かつ亡くなった叔父の小学校のクラスメートだという事実を知ることになった。その後、韓国のキリスト教徒が多い丹東で、私はにわかにその方の「故郷の甥」という肩書きを得ることになった。

丹東には一九九七年以来、朝鮮族集落を研究する韓国のすべての人類学者のガイドであり、インフォーマント役をつとめた朝鮮族記者Kが暮らしていた。私は丹東社会の人脈をすこしでも自力で把握しようと、Kを始めから訪ねたりはしなかった。六カ月が過ぎてようやくKに会ったのだが、彼は丹東内の朝鮮族社会で菩薩として通用していた。Kに会ってからというもの、以前に知りあっていた朝鮮族と、もう一度挨拶を交わす場が生じたりもした。

一方、質問をする身となったことで、半分は冗談、半分は本気で「安企部[*26]から来ましたか?」という反応を受ける時も多かった。このためインタビューを通じて細かい質問をするということが、容易《たやす》いことではないのが丹東国境地域だった。気になる点の大部分が、彼らの生業である国境貿易あるいは国境観光に関するものであることは、研究上の壁として迫ってきた。

私は四集団の生活を研究しながら、彼らの生活手段のなかに公式的・非公式的／合法的・便宜的な方式が共存するということを知ることとなった。そしてインフォーマントが切り出す話には、外部から眺める視線と、内部で自ら作る視線が混じっているという点を発見した。三カ国の力学関係に重要な影響をきたす政治・外交状況が、リアルタイムで続々と丹東に反映された。四集団は韓国のニュースを通じて丹東の状況を収集し、私はインフォーマントの伝える内容がそっくりそのまま韓国のニュースに報道されるのを見守った。この時にインフォーマントが言及した内容を再検討し、他のインフォーマントとの会話を通じてクロスチェックする方法[16]を採らねばならなかった。

私が研究遂行中であることを四集団の人びとは知っていたが、公式的なインタビューや録音が容易ではない状況で、私はトイレのなかに入って彼らの語った内容をメモした。彼らは、私がなぜトイレに行くのかを察し、彼らが気楽に話せるようにとの私の意図を十分に理解してくれた。集団の規模にくらべ、直接会ったインフォーマントの数が大きく不足していることを念頭に置き、研究対象としての彼らが語る内容そのものに対する分析にも気を使ったが、彼らの言葉をもうすこし客観的に眺める条件も検討した。

たとえばライフストーリー的に彼らが何者であり、集団においてどの程度の位置にあるのか、どのような人生を過ごして来た人が、どのような脈絡と状況から、どの程度に該当する話しをしているのか、把握する作業を並行しておこなった。

アイデンティティに悩む——研究者であったり、「安企部の職員」であったり

丹東は四集団の国民・民族アイデンティティが、時に異なって表出したり、時に互いに噛みあいながら、暮らしの根拠地のなかに浸透する場であった。彼らは丹東に来る前に、自らと異なる集団の持つ固有のアイデンティティばかりでなく、その他の多様なアイデンティティに基づく特性が、ここでの暮らしに大きな影響をきたしていることを理解していた。四集団にとっては、相手の国民・民族アイデンティティのみならず、多様なアイデンティティに対する把握が必須であった。こうした状況のなかで、私は毎回人類学研究をしに来たと説明したが、インフォーマントは私のアイデンティティに絶えず疑問混じりの関心を見せた。

参与観察を始めた時、四集団の人びとは私を中国語を習う学生、あるいは丹東地域を研究する大学院生と受け止めた。反対に、北朝鮮で〝対方《デバン》〟*27 を運営する父母と親戚がおり、大多数が二〇〜三〇代である若い世代が丹東内の国境貿易に従事する北朝鮮華僑を除いて、四集団の人びとは大部分、五〇代前後の人びとが国境と関連する経済活動をしていた。彼らに事業や国境貿易をしない三〇代である私の立場が解るわけがなかった。私は彼らが普段何をして、またどんな思いを抱えて暮らすのかに関心があってしきりに覗きこんだが、彼らが無職の立場にある私を快く思ってくれないのは、ともすれば当然のことであった。

私の立場は、ここでの生活にそぐわぬようであった。さらに国境地域内の熾烈な暮らしの現場が与える雰囲気に心酔していた私をめぐる状況は、まるでぎこちなく窮屈な服のようであった。「現場の人になる」という悩みは、だんだんと増すばかりであった。

このときLがやってきて、丹東ハングル学校[*28]の週末教師として働くことを提案した。これを契機に私はハングル学校の先生の資格で丹東の韓国社会のなかで名が知れることになり、丹東社会の生活人としてそのアイデンティティを多様に表出する出発点に立つことになった。すなわちこのことは、研究目的の他にも私が四集団に対し、丹東に暮らす理由と生計手段を説明する道となった。私はハングル学校の月給で、その当時の丹東の労働者の一カ月の月給に見あう金額である人民幣（人民元）六〇〇元をもらった。そして週末学校の教師という地位のおかげで、中国の学校において四集団とお互いに友人となる経験をしたハングル学校の学生たちと、師弟関係において出会う経験をすることになった。あわせて、中韓貿易と対北事業をしている韓国人に対しその生徒の父母として接する機会を提供した。

フィールド・ワークが始まってから六カ月が経ったある日、丹東において誰が見ても安企部（国家情報院の以前の名称［国家安全企画部］であるが、丹東では安企部という名称が通用する）の情報員の役割をしていると認識されていた韓国人に会い、コーヒーを一杯ともにすることとなった。ところが、その人が「（情報収集を）よくやるものだと思いはしたが、本当によくやっているようだ」という言葉を私に投げかけた。私は初めて会う人びとに、かならず大学院生であることを明かす名刺とともに、丹東に暮らす目的が研究であることを明らかに語って廻っていたのだが、その人の言葉はこの間おこなってきた「研究者としての自己紹介と信頼の積み重ね[17]」の努力が、余計なことであったかのように思わせた。しかし一方で、丹東国境地域で何かを知ろうとすること、気になることがあるということ、質問をするということが、ある人のアイデンティティを特定の方向へと判断する要素(諜報活動)として作動しうることを、今いちど実感させた。

研究者としての私はいかなる位置にあり、そのアイデンティティは何なのかを自ら問い詰めることも重要だが、四集団が果たして私をどのように考えるか、その反応を確かめることは研究資料の質や妥当性の測定次元において、非常に重要な過程であった。一方で、丹東の人びとにとって、私はハングル学校の教師という肩書とともに、丹東を研究するといいながらつねにカメラをもって歩き回り、絶えず写真を撮っている人と思われた。そのおかげで、北朝鮮人を除いた残りの集団が主催する行事がある時ともなれば、写真撮影をしてくれという要請を受けた。

二〇〇七年中盤以降、四集団から見た私の姿はそれぞれに異なっていた。たとえば、北朝鮮華僑と朝鮮族の観光ガイドは、自分たちよりもずっとたくさんガイドの仕事をこなす人、対北事業をする人びとは、韓国の会社の職員だが、おもな業務は「宴会部長」であったり、彼らの会席によく割り込む人、韓国人を相手にする北朝鮮人は、韓国企業の社長の後輩でありながら研究者、丹東フェ

【メモ・02】研究者のアイデンティティ

金光億は、分断の産物というアイデンティティを持った研究者が、中国をどのように見るのかとの論題を投げかけたことがある。(18) 人類学者は、おのおのそれなりの立場とアイデンティティ（たとえば年齢・性別・人種・宗属的アイデンティティ・階級的位置・植民主義政権との関連性・個人的人生の旅程など）を持たざるをえない。それは特定の人間現象に対して洞察力を高めたり、あるいは阻害しうる。(19) こうした立場から、私の碩士［＊修士に相当］論文の研究対象は、北朝鮮が故郷の脱北者だったのであり、二〇〇〇年から始めた彼らとの出会いは二〇一二年まで続いたため、丹東で初めて北朝鮮の人に会ったのではなかった。こうした経験の延長線上において、彼らの口ぶり・語彙・態度などが私にはそれほど疎遠ではなかった。したがって丹東における研究者と北朝鮮人の関係設定は、「気まずくない」ところから出発した。インフォーマントにとって馴れ親しんだ言語で会話(20)が可能であり、これは北朝鮮人と似た言葉遣いを駆使する北朝鮮華僑と朝鮮族に対しても同様であった。

リーを通じて行商をする人びとは、自分たちの仕事をみずから進んで助けてくれる人と考えたのだ。また食堂・按摩店・チムジルバン*29などで働く若い北朝鮮華僑と朝鮮族には、私は質問の多い韓国人の客であり、飲み屋や食堂を運営する四集団の人びとには常連客であり、来るたびに同行する人の替わる男であった。そしてコリアン教会の信徒たちは、教会に通いはしないものの長老の「故郷の甥」ぐらいに私を考えていた。

人類学を民俗学と同一視した四集団は私に、研究者であることは本当のようだが、固有の伝統や歴史を研究せず、毎日人びとに会って廻っている、と叱責したものだった。彼らは私を「姜柱源先生」あるいは「姜博士」という愛称で呼んだ。

時が過ぎ、参与観察者である私のアイデンティティはより多様になり、出会いの機会も多くなった。フィールド・ワークが中盤部にさしかかると各集団の人びとは、初めは面倒くさい人あるいはうさんくさい人と思われた私が彼らの暮らしに割り込んでも我慢をしてくれ、彼らの横に席を与えてくれた。また彼らの暮らしのなかの経験を共有するのを助けてくれた。私は彼らを通じて丹東を見て、国境地域の多様な層位をすこしであれ理解することができた。あわせて中朝国境地域で暮らしていく方法を学ぶことができた。私は研究対象である四集団に、フィールド・ワークという目的のもとで人為的に接触しようとするよりは、もうすこし気楽で自然な日常のなかで出会おうと努めた。

まとめ――帰国の挨拶と終わらない因縁

フィールド・ワークの最後の時期であった三カ月間、私は帰国挨拶のつもりでこの間作ってきた

丹東の高層マンションから眺める新義州の全景である。
1990 年代前後から、鴨緑江越しに新義州、すなわち国境を行き来する人びとがおり、3 カ国（中国・北朝鮮・韓国）の品物が流通する流れは、現在進行型である。

人脈を確かめると同時に、フィールド・ワーク以降にも何人かのインフォーマントと縁が途切れないよう努めた。一五カ月間のフィールド・ワークを終えて韓国に帰る私に、インフォーマントたちは「気をつけて韓国へいってらっしゃい」または「お待ちしています」という、ふたことの挨拶を投げかけた。二〇〇七年一二月、フィールド・ワークが終わった。私は丹東を発って大連を経て、五時間かけて仁川空港に到着した。ソウル行きのバスのラジオでは「EU、中・東ヨーロッパ九カ国に国境解放」というタイトルに続き、国境を通過する時にパスポートの検査がなくなるという内容が聞こえてきた(21)。その瞬間から、私は中朝国境と丹東での四集団の暮らしという木々のほかに、他のことを見なければならないと決心した。このため私はまた別の木々(韓国の国境、コリア語を使用する集団)と、森(世界のあちこちの国境)を眺望した。そうしたなかで私の研究地域と対象が、見せ、語るものが何なのかを考察した。

もちろん、こうした作業は丹東現地人との協業を通じて進捗した。私は丹東に居住するインフォーマントとメールやインターネット電話でやりとりしながら、ラポール関係を維持していった。そして丹東と国境関連の国内報道、ならびに研究者の論文を揃え、インフォーマントが共有してくれた内容を比較してみたりもした。この過程で、北朝鮮の金正日の列車が丹東に到着したという事実、あるいは新鴨緑江大橋*30関連の情報と状況を、国内報道よりも早く知ることができた。

インフォーマントたちは丹東を離れた私のために、各集団の注目すべき出来事を写真や映像で送ってくれた。これはそのまま、インフォーマントがいかなる見方で丹東を眺望するのか、検討可能なポイントとなった。とりわけ諸事情のために北朝鮮人と北朝鮮華僑が同行できないなかで、丹東に居住する朝鮮族と韓国人が韓国に尋ねてくる時には、私は彼らに積極的に会って研究と関連した話を深く交わした。

第二章訳注

＊17 **参与観察** participant observation. 文化人類学や社会学における調査方法のひとつであり、調査者が見ようとする対象集団がおこなう儀礼・祭り・集まり・結社・事件などに直接参加し、その内部者となった位置から、写真・動画・音声・文章化された記録などの有形物はもちろん、経験や実践による影響などの無形物まで、幅広い資料を得る方法をいう。

＊18 **民宿** 韓国では「民泊［민박］」と言われる。日本と同様に狭義の民宿は、農漁村などで家庭が副業として営む宿泊施設をいうが、海外における民宿のことを言う場合、正規の旅館業ではない営業形態で運営されながらも客を宿泊させる宿所、あるいはそれと類似したホテルや旅館をいう。その際、重要なのは、主人や主な従業員が韓国人またはコリア語ができる人であることから韓国人とのコミュニケーションが容易で、また提供される食事や宿泊費など営業規定において「韓国スタイル」であるという含意において、この民宿という言葉が使われているという点だ。

＊19 **対北事業** 韓国においても、一九八八年一〇月に「南北物資交流に関する基本指針書」が発表されたことにより、対北交易が公式に認められている。これは対北朝鮮事業が単に私企業および民間団体による利潤追求のための事業という次元を越え、南北間の共同利益追求と具体的経済活動の推進

を通じた南北協力領域の拡大、および関係改善という展望と結びついた事業という位相を持つようになったことで可能になった。

＊20 **ラポール（形成）** もともと相手との相互的な信頼関係が成りたった状態をさす心理学概念であり、参加観察など対人関係の中でおこなわれる現場研究において、それを推進するための重要な段階として認識されてきた。相手に対して誠意・好意・尊敬の念を表すことで自然に形成される場合もあるが、会話や身振り、行動において相手と呼吸を合わせることなど、身体技術的な手段を通して得ることもまた追求される。

＊21 **キー・インフォーマント** 参加観察や集団インタビューなど、ある集団を対象とした観察的研究において、研究者がその集団の中から探し出す特定の個人のこと。研究目的に関連する情報を集団の中で最も豊富に保有する者、その集団の傾向性を最も体現する者、集団の状況を最も客観的に見つめて叙述できる者が、研究遂行のための情報をよく得ることができる情報提供者として選ばれる。

＊22 **虎山長城と万里の長城** もともと一五世紀中葉に女真の勢力拡大を防ぐために明が建てたものとして、中国で虎山長城と呼ばれたこの丹東地域の長城が、一九九〇年代に入って新しく現れた学説によって、万里の長城のもともとの東端にさらつながる最東端の長城にあたるものと公認されたことで、名称が変えられて万里の長城と呼ばれるようになった経緯がある。韓国史の視点からすると後で説明するように、本来の虎山長城も高句麗の泊灼城跡を継いだものと理解されており、中国政府によるこの改名の経緯を歴史修正主義的策略である「東北工程」による実践と見る見方が、韓国社会において一般化している。

＊23 **民族経済協力連合会** 略称の民経連で通用する。南北の民間経済交流・協力を専門的に担うための

北朝鮮側の組織。光明星総会社・高麗商業銀行・三千里総会社・開城貿易会社・金剛山国際観光総会社などの企業から構成される。

＊24 **丹東フェリー** 大韓民国・仁川と中華人民共和国・丹東間を結び、旅客・自動車および貨物運送を担当する民間旅客船航路。一九九八年七月就航。航続距離約四五四キロメートルの同区間で週三回（月・水・金）運航されている。就航から二〇年目にして、両国間で約二〇〇万人の乗客を移送した。

＊25 **韓国教会** プロテスタントが多い韓国のキリスト教には、もともと信者の三分の二が現在の北朝鮮にあたる地域に住んでいたという前史と、北朝鮮政府樹立後の抑圧と韓国戦争によって生じた南への避難民のなかにも彼らが多く含まれていたという脈絡がある。そのため、反共主義を受け入れるとともに、「福音統一」すなわち北におけるキリスト教秩序の回復という使命感を抱くようになり、後述する「対北宣教」のための現実的根拠地として、傘下の教会が中朝国境地域に進出し活動することになった。

＊26 **安企部** 全斗煥政権期に再整備されて出発した国家情報機関である「国家安全企画部」（一九八一年～一九九九年）、略称・安企部が韓国系情報組織を意味するものとして、普通名詞的に拡大されて使われているものとみられる。安企部時代は、海外担当の第二次長の下に、海外工作室と海外調査室がそれぞれ置かれていたが、情報収集に止まらない工作に重きが置かれていたことが特徴といえる。

＊27 **対方** もともと相手・パートナーを意味する中国語の語彙であり、北朝鮮における漢字由来語彙だが、転じて対北貿易の脈絡では貿易相手ないし貿易会社を意味する言葉として通用しているものと思われる。

＊28 **ハングル学校** 海外において母国語としての韓国語教育をおこなう教育機関のひとつとして韓国政

府によって位置づけられるもの。全日制正規教育機関である韓国学校が設置されていない国・区域において、これを補完・代替するために教会などが自発的に運営する形で作られた、民間教育機関である。当該国家の正規教育が休みの週末を利用して、学齢期の児童を対象としておもに韓国語を教えている。二〇一五年現在、ハングル学校は約一九〇〇校、生徒総数約一〇万人（在外同胞財団の調査による）に成長している。

＊29 **チムジルバン**　もともと、湿布のできる熱い部屋（狭義のチムジルバン）を備えた大衆浴場などの施設をいう。但しその規模は次第に大きくなり、今では食堂やトレーニング室、仮眠施設などを備えた複合娯楽施設という意味でチムジルバンの名称が使われるようになった（広義のチムジルバン）。また、低価格で使いやすい宿泊施設の役割も果たしている。

＊30 **新鴨緑江大橋**　二〇〇九年一〇月に中朝間で締結された経済合作協定にともない建設が始まった、中国遼寧省丹東市と北朝鮮平安北道新義州市を結ぶ橋梁。双方向四車線の二〇キロメートルの高速道路に含まれる、約三キロメートルの長さの斜張橋である。橋梁の建設はすでに完了したものの、工事中断もあり、接続道路や付帯施設の建設も遅れたりした事情から、いまだ未開通状態である。旧来の中朝友誼橋の不便を解消し、完工時の中朝間の物流量の八〇パーセントがこの橋を介しておこなわれることが予測されるなど、多大な社会的効果が期待されている。

第二章原註

(16) 趙耕眞［조경진］（二〇〇五）

(17) 李容淑［이용숙］ほか（二〇一二）八三〜八五頁

(18) 金光億〔김광억〕(二〇〇〇)四四頁

(19) 權肅寅〔권숙인〕(一九九八)五九頁、尹澤林〔윤택림〕(二〇〇四)参照。

(20) 李容淑〔이용숙〕ほか(二〇一二)一四七〜一四九頁

(21)『聯合ニュース〔연합뉴스〕』二〇〇七年一一月九日付「EU、中・東ヨーロッパ九カ国に来月二一日から国境開放〔EU、중・동 유럽 9개국에 내달 21일부터 국경 개방〕」

第三章

四集団のはなし——北朝鮮人・北朝鮮華僑・朝鮮族・韓国人

「鴨緑江は海より深い」

丹東は国境として象徴される鴨緑江ひとつを間に挟み、新義州と向かいあっている。鴨緑江の岸辺の双方の国境地域の人びとは、朝靄と太陽、そして月を同時に眺め、感じる。また中朝国境条約の特徴を根拠として鴨緑江を共有する。しかし二つの国境都市の人びとの日課は、一時間という標準時間の隔たりのなかで繰り広げられる。二〇〇〇年代に入ってから中国政府が新たに造成した鴨緑江公園は、朝夕に社交ダンスを楽しむ人びとで溢れる。反対に新義州は、外見上、物静かな姿である。丹東の観光遊覧船とボート、新義州に停泊した貨物船、そして両国の国旗が鮮明に見える砂利採取船だけが、鴨緑江の光景のすべてであるかのように見える。しかしながら両国境地域の人びとは多様な活動を通じて、鴨緑江に彼らなりの生活の痕跡を残しては消える。これを喩えて、丹東の人びとは「鴨緑江は海より深い」と表現する。

韓飛野[*31]の『中国見聞録』には、中国内の中国語学院でいっしょに勉強した北朝鮮のおじさんに対する逸話が出て来る（この本は、皆さんご存知の通り、韓国でとてつもなく読者をひきつけた）。しかし韓国社会は依然として、脱北者とは異なる性格を帯びた、中国に居住する北朝鮮人の存在に対し、雑に扱う傾向がある。さらに韓国映画とニュースの素材となる海外の北朝鮮労働者の暮らしなどが、韓国で次第に知られもしたが、北朝鮮人の海外居住の姿は容易に思い浮かべることのできない傾向もある。

中国国境に対する韓国の見方も、とくに差異はないようだ。二〇〇〇年代に入り、鴨緑江断橋[*32]は抗美[※]援朝戦争（朝鮮戦争）を記念する空間であると同時に、途切れた橋のせいでこれ以上渡ることのできない国境越しの新義州を展望する空間へと変えられた。すぐそばにあって丹東と新義州を連結する中朝友誼橋[*33]は、あたかも諜報戦を連想させるように金正日の乗った汽車だけが通過するところとして描写された。ここは丹東から北朝鮮に向かうトラックだけが通過する橋として報道されるが、北朝鮮から戻ってくるトラックは空っぽである。中朝国境を通過する「民間交流はほぼない」という形の記事[22]は、韓国の新聞の常連メニューでもある。

数多くの物資が丹東から新義州にだけ行くのではなく、この橋を通じて人びとが行き交う。彼らのうち北朝鮮と中国を行き来して国境貿易をする人たちもいる。彼らは両国に暮らす親戚の訪問も兼ねて、経済活動のために汽車やトラック、あるいはバスに身を委ねる。もちろんこうした状況は、公式的には一九八〇年代初め、中朝関係の改善の結果として生まれた姿だ。

ところが、こうした国境往来の現場において、一般的な出入国手続きと異なるものがある。普通、国家間の往来においてパスポートとビザは必須だ。しかし中朝国境の場合、鴨緑江の岸辺に住む北朝鮮と中国の住民たちは、渡河証[*34]を活用して国境を越えることができる。

そのほかにも、共有地域という特性から鴨緑江では丹東と新義州を行き来できるようにしており、河と海で出会い物品を交換できる船もある。この船を通してなされる非公式的な国境交流が、公式的な交流よりも多いという点は、丹東の人びとには公然の秘密である。

丹東地域には国境を越えずとも交流が可能な通信手段があり、国境を間に挟んで通話するものの、実際に国際通話料を払うことはない。中国の電話料金を払う国内通話の方式で、国境を越えた新義州でも丹東にいる人びとと通話が可能なのだ。こうしたなかで、ハングルの文字メッセージが可能な韓国製の携帯電話は、北朝鮮人が好んで選ぶ機種である。

これと関連し、特定の携帯電話番号の通話不良問題[*35]が二〇一〇年を前後して頻繁に発生したが、二〇一一年、丹東の朝鮮通りには「朝鮮で使用可能な携帯電話を販売しています」という文言を掲げた商店が現れた。

出産プレゼントに込められた国境の意味

丹東の人びとは二〇〇一年前後から、携帯電話の使用がとほうもなく増えたと記憶する。丹東で対北事業をする人びとにとって、北朝鮮で使用されている中国の携帯電話に保存された連絡先の確保は必須である。こうした通信手段の存在は、韓国人を含むコリア語を共有する四集団が、国境往来行為に直接的かつ間接的に参加していることを見せてくれる。韓国人が実質的な社長である丹東の貿易会社では、北朝鮮華僑が対北事業の一部分を担当するものの、朝鮮族を介して北朝鮮人と国境貿易を推進している。実例として、この会社の職員である丹東に居住する若い韓国人夫婦は朝鮮族の仲介により、渡河証を持ち国境を越えてくる北朝鮮人と知りあいになった。その夫婦の子供が生まれた二〇〇七年のある日の晩、朝鮮族の頼みで同じ会社の同僚である北朝鮮華僑が韓国人夫婦の家に、新義州で獲れた生きたままの雷魚を配達した。この魚は実は新義州にいる北朝鮮人が、鴨緑江の船便で朝鮮族に送ったものであった。この逸話には、渡河証を通じた丹東での出会い、生きている魚を運搬できる鴨緑江の船、国境貿易のための携帯電話による日常的な通話、四集団の結びつきの輪などが含蓄されている。このように出産祝には国境の往来と関連した四集団の間の交流が溶け込んでいる。彼らは国境貿易の範囲での経済活動を通じ、直接的・間接的に結びついている。

非公式的な交流には、鴨緑江の船と携帯電話だけが使われるのではない。鴨緑江という大河川が丹東市内と新義州の間に横たわっているが、丹東の人びとと新義州の人びとが互いに国境を挟んで会話し交流できる場所も散在している。鴨緑江の地理的特性と、中朝国境条約の特殊性のために、人びとは郊外に出ると、鴨緑江の本流ではない支流の流れる地域を交流の場として利用する。

このような例は、ビザとパスポートのみでは北朝鮮と中国の国境を通過する人びとの往来を把握するうえで、限界があること示している。統計で捉えられない国境往来行為には、四集団の相互作用と出会いの歴史があることを見逃してはならない。丹東国境地域は、中朝国境という境界を往来することで人びとが疎通し、経済活動が展開されるところである。人が往来する中朝国境文化の中心には四集団がいる。こうした脈略において中朝国境の往来形態を考慮するならば、この地域で繰り広げられる交流を中国内の朝鮮族および北朝鮮華僑対、北朝鮮国内の北朝鮮人のものとだけみなす見方には限界がある。

三カ国が出会う場・丹東

丹東には一九九〇年代から変化があった。丹東人は一九九二年の中韓修好以前にも、香港を通じて対北事業を夢見る韓国人が丹東を尋ねてきたと語る。さらに中韓修交は、韓国人が本格的に丹東を訪問して移住する契機となった。より詳しく掘り下げるならば、この時期に韓国人を除いた三つの集団も丹東に登場したと思われる端緒がある。

三カ国の人びとが交流できる与件が作られた丹東において、四集団が互いに関係を結んできた歴史、すなわち生活の根を本格的に下ろしたのは一九九〇年代中半からのことだった。このような理解を出発点として、丹東に四集団が登場した過程と三カ国関係における丹東の位相変化をめぐる関連性を整理すれば、次の通りである。

まず、国境都市としての丹東の第一の長所は、平壌と新義州の間を鉄路と道路を通じて直接行き来することができるということだ。これと同様に、南北関係の政治的・経済的状況に従い、非正規交流地域である南浦《ナムポ》よりも、丹東が物資を送る路線として活用されている。二つめに、丹東は自前の生産物と合わせ、北朝鮮の農産物と軽工業製品が国境貿易のうちのひとつである保税貿易方式を利用して韓国に輸出される地域として利用されている。三つめに、内陸都市である吉林省は、韓国人が航空便やロシアを経由する船便で訪問できるが、遼寧省の丹東には韓国と直結された国際港湾がある。この三つの理由を包括する地理的利点として、丹東は北朝鮮が必要とする生活必需品・医薬品・食料などの物資が、中国から平壌へと運ばれうる最短距離だということだ。逆に見るならば、丹東は平壌で作られた加工貿易の完成品が中国を通過して第三国（韓国）へと向かう場合の最短距離に位置する中国の国際港湾である。あわせて中国の大連あるいは北京から、北朝鮮に向かう船と航空便がある。

丹東は、中国の他の都市でなされる北朝鮮と関連した経済活動の協定テーブルの場所としても脚光を浴びているが、経済交流のブローカーの役割を務める四集団がいるからだ。物資が丹東を経由しない時もあるが、これを可能にする経済活動は丹東でなされる場合が多く、四集団に会おうと事業家たちはしきり丹東を訪れる。

したがって、二〇一〇年を前後して四集団が互いに関係を結んで暮らしているのは、新しい現象または未来形ではなく、歴史的過程であり現在進行形であることを念頭に置かねばならない。彼らにとっては時期的に中韓修好前後から、どれかひとつの集団を除いたら丹東国境地域の変化像が説明できない特殊性がある。

一九九〇年代という転換点

一九九〇年代に入って、三〇〇〇名程であった丹東市内の朝鮮族の人口が増え始めた。またこの頃、単純な訪問の性格ではなく丹東で生活を営む北朝鮮人・北朝鮮華僑・韓国人が飛躍的に増えた。一九八〇年代、北朝鮮人と朝鮮族の出会いは、おもに国境を越えた新義州の国境地域を通じてなされたが、一九九〇年代から丹東の国境地域において活発な交流が根づき始めた。一九九〇年代初・中盤の状況を描写している次の内容は、二〇〇〇年代にも常に続く丹東の国境地域の風景である。

（丹東は）平壌と北京を結ぶ国際列車が通り過ぎるところで、鴨緑江を挟み新義州と対面している。国境貿易が盛んであり、平安道を経てやってくる北韓（北朝鮮）人たちが中国に入っていく関門であり、中国人と朝鮮族同胞が北韓を訪問するための関門でもある。ホテルでは新義州までの観光を斡旋してやるという広告も貼られており、毎日、木材や海産物を積んできて食料と交換して帰っていく北韓のトラックの長い行列が鴨緑江の橋を埋めており、品物の包みを目一杯背負い親戚訪問後に帰国する北韓と、北韓の親戚を訪問しようという朝鮮族の同胞の姿でごったがえすところである。(23)

以上の内容のように、親戚訪問を通じた貿易が主であった北朝鮮人と朝鮮族の出会いとともに、多様な集団間の出会いが一九九〇年代にあった。一九九〇年代の中韓修好、北朝鮮と中国の経済的状況が逆転しながら生じた北朝鮮華僑の丹東移住、中韓間で運行される丹東フェリーの登場、北朝鮮レストランと外貨稼ぎに代弁される北朝鮮人の経済活動、国境貿易を念頭に置いた他地域の朝鮮族と韓国人の移住などが、集団間の出会いの主要な契機となった。そうであるとしたら一九九〇年代に四集団が丹東に移住した動機は、何であろうか？　要約すれば、四集団の人びとは北朝鮮と中朝国境を念頭に置き、丹東に生活の根拠地を構築した。次の内容はそれを見せてくれている。

今（二〇〇七年）の丹東は、五つの宗族が集まって暮らすところですが、六〇年代の初めから七〇年代末までは、公式的に北韓（北朝鮮）と中国の交流がありませんでした。八二年に再び交流するようになりながら、それ以降、中国に北韓人が自由に通い品物を購入する状況になったといいます。一九九〇年代に入って、北韓人が中国の品物を購入するために積極的に丹東に出て来始めましたが、北韓社会が困難になる時期と重なります。

一九六二年、韓国出生。韓国人（男）
二〇〇七年、四カ月間の調査目的で滞留した韓国公務員

朝鮮華僑（北朝鮮華僑）は、朝鮮が暮らしに行き詰まり始めてから押し寄せ始めましたよ。おそらく九〇年代初めから丹東にたくさん居住していたといいますが、代表的に成功した人物があなたも知っている、骨董品で成功した安東閣の社長といえます。平壌は今、［北朝鮮華僑が］約三〇〇世帯程度になりますが大部分は老人たちだけで、若い人たちは大部分中国に去ったのでおりません。

一九七五年、平壌出生。北朝鮮華僑（男）
二〇〇三年から丹東居住、貿易業に従事

今（二〇一〇年）、丹東の朝鮮族のなかには北韓（北朝鮮）と貿易して金を沢山蓄積した人が多いでしょ。（私の質問：ならば、その方々は大部分丹東が故郷なんですか？）私は丹東の朝鮮族と言いましたけど、朝鮮族のうち東北三省[*36]からここに来たんだけれども、すでに二〇年前に丹東に住み始めたのだから、丹東の朝鮮族と言ったんだよ。生粋の丹東朝鮮族は二〇％にも満たないと見ていいんじゃないか。彼らは北韓との結びつきのために丹東に来たわけ。彼らが丹東に来た理由は、韓国人とはほとんど関係ない。

一九五五年、丹東出生。朝鮮族（女）
朝鮮族学校[*37]の先生

一九九〇年代初めの（中韓）国交樹立と前後して伝え聞いた話によると、当時のビジネスは高価な鉱物（金塊含む）の取引や骨董品の取引など、非常に非公式的で秘密のビジネスがまず始まり、韓国人の往来が始まったものと理解しています。国交樹立以降、先ほど述べた対北事業や農水産物（中国産または北朝鮮産）などの分野の進出が初めにあり、その次が北韓（北朝鮮）

での加工業であったと思います。丹東は韓国人にとって機会の地であり、毎日分断の現実と南北の対峙状況を経験する場所です。しかしながら、そのさなかに北韓と関連した仕事のできる妙な魅力の香る所でしょう。

一九七五年、ソウル出生。韓国人（男）
二〇〇二年から丹東居住、対北事業家

以上の内容に見られるように、丹東に四集団が集まる背景を語る時、経済と関連して「北韓（北朝鮮）」という単語が抜けることはない。丹東に出て来ている北朝鮮人は、北朝鮮と関連した事業をしようとする三集団を北朝鮮に結びつける、ハブの役割につくことができた。北朝鮮骨董品の例から想像できる通り、北朝鮮の品物を持って国境を越え、丹東に持ち込むことのできる北朝鮮華僑は、丹東で北朝鮮の商品の価値を極大化させもしたものだ。丹東の元からのネイティブである朝鮮族と同様に、他地域の朝鮮族は、韓国とは異なり、労働よりも北朝鮮に居住する親・姻戚の人脈を活用して商売できる利点があった。北朝鮮人に会う機会と地域が制限的な韓国人にとって、北朝鮮と相対している丹東は、北朝鮮と関連した仕事を繰り広げうる地域であった。

一九九二年の中韓修好は、韓国人が北朝鮮または北朝鮮と関連した三集団と出会える場として、丹東が本格的に準備された契機であった。北朝鮮は一九九五年に洪水災害を蒙り、それ以降、飢饉

左の写真は、北朝鮮のパスポートを開いたものである。一方で北朝鮮人が中朝国境を行き来する手段としては、北朝鮮パスポートの他にも渡河証がある。

を経験した。このことから北朝鮮人と北朝鮮華僑は、北朝鮮に持ち込む中国と韓国の品物を丹東で購入しようとした。反対に韓国人は、中国の品物よりは北朝鮮と関連した事業を模索しようとして、丹東を訪れ始めた。そして本格的な対外開放を始めた時期と、朝鮮族の移動がからみあいながら、韓国または韓国人が多く住む他の中国の大都市へ移住することを選択しない他地域の朝鮮族は、丹東に移動して北朝鮮と関連した生活手段を探し始めた。

彼らはなぜ互いに出会い、交わろうとするのか

公式的な交流に制限のある北朝鮮人と韓国人が出会うには、北朝鮮華僑と朝鮮族が必要であった。丹東の国境貿易と南北貿易のもつ特徴は、北朝鮮華僑と朝鮮族に彼ら独自の役割を付与した。一方、丹東の朝鮮族は、他地域に暮らす韓国人と朝鮮族が引き受けていた役割の分担をめぐって、北朝鮮華僑と競争する位置に置かれること

俗にいう朝鮮（北朝鮮）通りには、「朝鮮で使用可能な携帯電話を販売します」と強調する携帯電話店が繁盛している。このためコリア語入力を基本として持つ携帯電話機種の人気が高い。

になった。この過程において、四集団の出会いを繋ぐ要素が、ひとつひとつ丹東の国境地域に蓄積された。

たとえば南北貿易の場合、韓国人が北朝鮮との取引ルートを確保する方法には、南北間においては直接的な通行・通信さえもほぼ不可能であるという、前提条件が存在する。北朝鮮の取引ルートを確保する一般的な方法には、一つ、北朝鮮進出経験のある韓国の業者を活用すること。二つ、大韓貿易投資振興公社（KOTRA）を通じて民族経済協力連合会（民経連）または仲買業者の斡旋を受けること。三つ、北朝鮮の民経連に直接接触すること。四つ、第三国の仲買業者などを通じること、などがある。こうした条件に符合するところが、まさに丹東である。韓国の業者と民経連がいて、第三国の中継業者と呼ばれる中国の朝鮮族と北朝鮮華僑がいる場所だからだ。

北朝鮮と関連した四集団が丹東に移住するうえでの重要な背景として、彼らの間の関係の他にも別のひとつの軸として、中朝国境と中韓国境の存在が挙げられる。中朝国境は、韓国人にとって越えることのできない国境だが、丹東には韓国人のかわりに中朝国境の往来が可能な三集団が存在してきた。彼らを通じてふたつの国境を越える品物は、北朝鮮の農産物と製品に接する機会を韓国に与えた。これとは反対に、四集団は中韓国境を越えてきた品物を、中朝国境越しに北朝鮮へ持っていける国境地域が丹東にあることを知った。この条件は、一九九〇年代から形成された丹東の国境地域文化を、中朝関係という文脈でのみ眺めることはできないことを意味する。

一九九〇年代に別の地域の朝鮮族が丹東に移住し、地元民の朝鮮族よりも多くなった。そのため、この一九九〇年代から始まった四集団の間の出会いは、別の意味で解釈されうる。彼らは狭い意味で、一九九〇年代以前において新義州と丹東の国境地域の人びと（北朝鮮人・北朝鮮華僑・丹東が故郷の朝鮮族）が作っていた、国境地域の文化という端緒があったために集まったという点を、看過してはならない。

彼らの出会いは、ひとつの集団がまず拠点を据えたところに残りの集団が入りこみ、混ざりこんだ様相ではない。丹東のなかに四集団と関連した文化と、三カ国が結びつく要素が従前にはなかったという点で、四集団は彼らの出生国または故郷ではない丹東という国境地域で、ともに国境文化を作り始めたと見ても差し支えなかろう。

二〇〇〇年代以来、四集団の移住において注視すべき点は、先に言及した四集団の移住背景である北朝鮮、四集団の関係つくり、中朝国境や中韓国境を往来する行為などが、最終的に指向するものが何なのかである。実は四集団は、中国人たちと関係を結ぶことのためだけに丹東に移住したとは言えない。むしろ北朝鮮と国境を接している丹東の国境地域の人びとは、四集団の間の関係づくりを重視しようという意志が強く、これがすなわち丹東へと移住しようとするおもな要因となる。

韓国人たちは中国で生活することそのものを唯一の目的として丹東を訪ねるのではない。たまたま中国での生活だけを考えて来たという者たちも、さほど時間を置かずに鴨緑江越しの機会の地である北朝鮮へと目を向けることになるものである。丹東で彼らは、北朝鮮の品物と人びとを紹介してくれる人脈である、北朝鮮華僑ならびに朝鮮族とつきあう。さらに彼らは北朝鮮人と出会って事業を論議できる方法を探る。こうした出会いのなかで、北朝鮮と韓国を結ぶ南北貿易や三カ国貿易の方式を学ぶ。

北朝鮮華僑にしても、単純に経済的な困難を克服しようと北朝鮮から丹東に来るのではない。丹東は彼らに北朝鮮との関係を通じて富を得る条件を提供してくれるからだ。丹東に定着し始めた彼らのうちの一部は、北朝鮮人と韓国人を対象として事業パートナーとしての関係を構築する。彼らは南北貿易と三カ国貿易取引の仲介者の役割、または北朝鮮進出の案内人として位置づけられている。

韓国滞留経験のある他の地域の朝鮮族は、往々にして東北三省のなかで最も韓国の天気に似ているという理由から、丹東への移住を語る。彼らは中国で中国国民として生きて行くのだが、彼らの職業を見廻すと大部分、北朝鮮人や韓国人と縁を結んで生きて行く。

北朝鮮人もまた北朝鮮出身のパートナーを必要とする残りの三集団との交流を模索することが、丹東居住のおもな理由である。北朝鮮人は、三集団越しに韓国があることを知っている。このように、四集団は中国国境地域という基盤を通じて、北朝鮮と韓国を結びつける輪を作って行きながら、丹東で行きていく。

四集団は、丹東におけるライフスタイルに適応するだけでは居られない身の上である。とくに北朝鮮人と韓国人は、それぞれが属する国家の状況と政策にしたがい直接的な影響を受けることもある。北朝鮮人は集団的に帰国をしたりするし、韓国人は対北事業が一時的に中断される状況に直面するのが代表的な例である。北朝鮮人と韓国人は、丹東での出会いと言行に注意し、帰国後に問題となる素地をできるだけ減らそうと努力する。南北関係の変化がすぐさま肌で感じられるところである丹東で、彼らは暮らしている。

韓国のＩＭＦ危機当時、丹東は北朝鮮農産物の輸入減少によって不況を味わった。北朝鮮の龍川事件[*38]の時、丹東は北朝鮮に送られる救護物資の通り道であった。各集団は衛生放送とインターネットなどを通じて韓国と北朝鮮のニュースに接し、彼らのライフスタイルにいかなる影響が及ぶのかと敏感に反応する。

帰属国家を念頭に置く人びと――北朝鮮人と韓国人

二〇〇六年、丹東で私が出会った北朝鮮人は、民宿で住と食を解決しながら家政婦の仕事をしていた。彼女は新義州から来ており、丹東に居住するのはすでに今回で三回目であった。彼女が民宿の韓国人宿泊客と脱北者について会話した際に、投げかけてきた最初の質問は「そちら（韓国）に行って、彼ら（脱北者）はお金をしっかり稼いでいますか？」であった。彼女は夕食時におもに丹東の三馬路に居る、似た境遇（丹東の家庭で賄い婦として一、二カ月働く）の故郷の友人たちと会い、新義州に帰る時に仕入れて帰る品物をショッピングするのであった。彼らは丹東にあるいくつかの商店のうち、どの商店に行けば韓国の品物を安く買えるのか、よく知っていた。

彼女はすでに滞留期間*39を越えていたが、二カ月後、友人たちと一緒に丹東から新義州に向かうバスに身を委ねた。彼らが購入した品物の大部分は、新義州の人びとが注文したものであった。彼らが中朝国境貿易に占める比重ばかりでなく、貿易と関連した彼らの役割のうち注目すべき点は、北朝鮮に持っていく品物のうちには値段の高い製品もあるが、（資本主義のグローバリゼーションという要因による）流通過程の多様化が彼らの消費に影響し、中国と韓国で最後まで売れなかった品物を安く買うということだ。

このように、渡河証を通じて丹東に来る北朝鮮人は、いわゆる北朝鮮のエリートではない国境地域に住む一般人である場合が多い。彼らは三馬路周辺で宿と食事の問題を解決して、日雇い労働に向かう。彼らが望む金額が貯れば品物を買い、中国での滞留期間を残していようが北朝鮮に帰る。こうした側面を考慮するならば彼らは脱北者のカテゴリーには含まれず、むしろ不法に滞在する外国人労働者の身分に近いといえる。そうかといって、彼らの丹東居住に法的な問題が生じるケースは、ほとんどない。丹東には、彼らが誰なのかを説明してくれる親戚が居り、人脈があるからだ。そして中朝国境をもう一度越えていく時も、丹東で稼いだお金の一部を使って通過すれば良い。

丹東で店舗を営む北朝鮮人もいる。彼らが販売する品物は、北朝鮮から送られてきた手工芸品・農水産品・酒などだ。北朝鮮レストランは北朝鮮から来た女性を従業員として採用し、北朝鮮との直接的な結びつきを商品化する経営戦略を繰り広げる。この時、中国産の材料で料理を作る場合もあるが、北朝鮮レストランで消費される料理と働く人は、北朝鮮という国を象徴する。

二〇一一年夏、対北事業を営む韓国人が顔見知りとして付きあっていた北朝鮮人から、三〇代前半の北朝鮮女性を紹介された。彼女は彼の娘であった。彼女が丹東に来た理由は、父の人脈を引き継いで直接中朝国境を往来しようという計画のためだ。このように、北朝鮮人が丹東に滞留したり居住する時、彼らの横には暮らしを助けてくれる人脈があり、彼らとの関係維持は必須である。これと同様に、私が二〇〇七年度に会った二〇代後半の朝鮮族女性は、父の北朝鮮人脈を引き継いで五年目にして、北朝鮮人が尋ねてくるたびに通訳業務をしていた。この過程で出会った北朝鮮の顧客を通じて、彼女は北朝鮮でよく売れる商品が何なのか情報を調べだそうとしていた。

丹東の人は、丹東に始めて訪問する北朝鮮人に食事を振る舞う際に、何を振る舞えばいいのか悩む必要はない。北朝鮮人はあらかじめ北朝鮮を離れる前に、丹東に行ったらどの食堂に行って何を食べるのか、推薦を受ける場合が多いからだ。丹東で国境貿易に従事する北朝鮮人の肩書は「〇〇機関」または「〇〇〇会社代表」が多く、住所は大部分平壌である。貿易員と呼ばれる彼らがおもにすることは、北朝鮮の機関にとって必要な物品を購入、調達することだ。一方、丹東に住んでいる北朝鮮駐在員のおもな業務は、取引ラインの発掘や北朝鮮内部の雇用創出などだ。彼らは丹東人との事業協定を通じて、北朝鮮の地下資源開発の案件を紹介してやったり、北朝鮮の縫製工場の仕事を受注するために努力する。したがって、自国で影響力の大きい北朝鮮人は、丹東でより多くの仕事を推進できる。

北朝鮮人が丹東で生きていく方法は、ふたつに要約される。ひとつは北朝鮮に品物を輸入したり、あるいはもう一度国境を越えて北朝鮮に帰る際に、就業して稼いだ金を元手に品物に対する税金が賦課されない範囲で行商をすることだ。このほかにも出張員と呼ばれる人びとも加わる。彼らは毎日のように中朝辺境を往来するトラックやボンゴ、バスに乗って品物を運ぶ。また他の場合には、北朝鮮と関連した品物を売ったり、北朝鮮にある品物と仕事を丹東の人びとに結びつけるのだ。このように丹東で北朝鮮人が行きていく方法の根拠であり、かつ資源であるのは、北朝鮮その

丹東のホテルに設置された、平壌・北京・ソウルの時計。この場面を通じて丹東における４集団の生を想像できる。

ものだといえる。

四集団のうち韓国人も、北朝鮮人と同様に帰るべき国家（出身国）をつねに思い浮かべながら、丹東で暮らしている。彼らは中国人を相手に食堂や店を営んだり、中国語を学びに丹東に来たりもするが、その規模はいくばくにもならない。韓国の食堂が成功するかどうかの是非を占う基準のうちのひとつは、北朝鮮の客の比重だ。彼らの大部分は対北事業を念頭において丹東に居住（滞留）するのだが、すでに丹東に住んでいる韓国人のみならず、知り合いの北朝鮮華僑と朝鮮族の人脈を通じ、丹東での生活を始める。そして彼らを経て北朝鮮人を知るようになる。

二〇一〇年基準で、丹東に一〇年以上住

丹東の大型マートの周辺の路上では、北朝鮮の人びとが集まっている姿を簡単に目撃できる。

む韓国人の大部分は、北朝鮮産農水産物の取引を模索して丹東に根拠地を準備した人びとである。それ以降、北朝鮮と関連した衣類加工業・物流業・鉱物取引仲介業などで対北事業をしようという人びとが、丹東にとどまったり、丹東と韓国を行き来して暮らしている。対北宣教[*40]を夢見る韓国人も相当数を占める。

このように韓国人は、事業であれ宣教であれ北朝鮮と関連した仕事をたくさんおこなう。彼らは中国における暮らしよりも、統一と宣教の先駆者の夢、あるいは資本主義の流れに乗り、最後に残された機会の地として認識される北朝鮮を想像しながら、丹東に集まってくる。前者は国民と民族をまず考え、経済的な利潤創出よりも対北事業そのものに意味を付与する。たとえば故郷が北朝鮮にあり南韓に下ってきて経済的に成功を収めたが、一生願った統一は遠ざかっていくだけのようなので、故郷に整備された工場を建ててその地を一度踏めたらと思う人びとが、間接的に対北投資の方法を模索するために丹東を訪れる。北朝鮮関連の韓国のNGO関係者たちが、北朝鮮を助けるための手段として丹東で対北事業を推進するのも同様の脈略だ。

後者は、対北事業を通じた経済的な利潤追求がおもな目的である。彼らが北朝鮮の工場を利用する理由は、思想と理念はさておき中国の刑務所よりも北朝鮮の人件費が安いからだ。二〇〇七年夏、中国で手数のかかるアクセサリー工場を運営していた韓国人が、中国の人件費上昇のために困難に直面すると、丹東にある対北事業家を尋ねてきた。彼は対北事業のうち、手芸作業をする朝鮮族に北朝鮮の人件費を尋ねてみた。彼は「ひと月の月給でくらべると、韓国は二〇〇〇ドル、中国は五〇〇ドル、朝鮮（北朝鮮）は二〇ドル程度」という内容を知ることとなった。

ときにはこれらすべてを念頭に置く人びともいる。韓国人は丹東に来る理由として、初めは対北事業をしに来たと語るが、酒を一杯やった後には統一と宣教を語りもする。こうした動機のため、丹東は韓国人にとって対北事業の前哨地であるという意味が強く、彼らは丹東で北朝鮮と韓国の媒介者の役割を模索する。また北朝鮮人は、多様な北朝鮮の社会的・政治的背景をおびた人びとが集まるのにくらべ、韓国人は過去に経済的余裕があったとしても、現在、富裕な人が居住（滞留）する例は珍しい。

こうした経済的背景は、丹東を経済的再起の踏み台のための機会の地と見做そうとする韓国人が多いことを見せてくれると同時に、暮らしがおいそれとはいかない時、簡単に丹東を発って韓国に帰る原因となることを説明してくれる。

韓国人のうち、丹東で工場と店舗などを運営して富を蓄積した人びとは珍しいが、成功した人も失敗した人も、大部分は対北事業をした人びとだ。「対北事業」という単語は、中国において北朝鮮を相手に事業をするという意味に留まらず、韓国が北朝鮮と事業をするという意味として解釈される。韓国人は会社を運営しようが、個人バイヤーだろうが、北朝鮮と韓国市場を同時に考慮しなければならない。大部分の彼らの最終的な経済的利益は、北朝鮮の品物を韓国に流通させることで得られる（もちろん韓国の品物を北朝鮮に販売することも含む）。したがって北朝鮮と韓国の経済的流れに敏感な彼らにとって、韓国で築きあげた経済的人脈は重要だ。

丹東で成功した人びとは、衣類加工業を仲介する人びとが代表的だ。彼らにとって北朝鮮の工場と韓国の大企業で築いた人脈は、丹東で生きていくうえで大きな資産となる。これと同様に、丹東で宣教する人びとにとって韓国の大型教会は、しっかりした後援者の役割をはたす。夏場に丹東を尋ねてくる韓国の事業家と教会関係者たちに丹東の国境地域と中朝国境を案内することが、自分の仕事より優先視されたりもする。韓国の言論と対北研究者たちは、丹東に住む韓国人にインフォーマントの役割を頼む。一方、丹東における事業の失敗で暮らしが思い通りにいかなかったり、派遣勤務、あるいは宣教活動期間の終わった人びとは、韓国に帰る。

丹東が未来である人びと――北朝鮮華僑と朝鮮族

北朝鮮華僑と朝鮮族にとって、丹東はこれから生きていく場であるという意味が大きい。北朝鮮華僑は丹東社会の立志的人物のなかに含まれたりするものだ。そのうち丹東でもっとも大きな食堂のうちのひとつを運営しながら、「安東閣の社長」というニックネームで通じる人がいる。叩きあげで財をなした背景には、彼が若い頃に北朝鮮を相手にした貿易が一役買っていた。一九九九年一一月に発行された丹東のある雑誌を見ると、安東閣は「これ以上にいいところはない」「水産物はほとんど朝鮮から供給されたものと認識されている」と紹介されている。これを基盤に、彼は二〇〇〇年代に入って丹東で多様な事業へと領域を広げていっている。たとえば、彼はマンション建設に参入し、ソウルの「江南《カンナム》のおばさん」[*41]たちをおもな顧客として営業した。一時、週末にもなると韓国人を載せた彼の会社の車両が、建設中のマンションを駆け巡った。二〇一〇年頃、鴨緑江の見える新しい場所でふたたび営業を始めた「新安東閣」は中華料理店を標榜しているが、中国人従業員とともに、おもに公演をおこなう北朝鮮の女性五〇名以上が働いている。これは依然として彼が北朝鮮人脈を維持しながら、それを活用していることをうかがわせる。

二〇年前の一九九〇年代には彼も若い世代であったが、今は北朝鮮からやってきたばかりの若い北朝鮮華僑のロールモデルとなっている。二〇〇六年から私が知りあいとして付きあう北朝鮮華僑は、二〇代半ばには手元にほとんど金のない人であった。その当時の彼にできたことは、韓国人がよく立ち寄る按摩店で予約の電話を取ることぐらいであった。しかしながら時が経つにつれて、行商から始めて仲介業者として対北事業内に居場所を広げていった。二〇一一年にはついに韓国のお金で一億ウォンはするマンションを買った。このように、北朝鮮華僑は、北朝鮮で生まれたという条件（出身国）を活用し、丹東（居住国）で暮らしているが、北朝鮮とのつながりを戦略的に捨てずに、将来、中国で暮らす準備をする傾向を見せる。

このように北朝鮮華僑の中国移住は、老人世代よりも若い世代、家族よりも個人中心になされる傾向がある。ならば、ここで「北朝鮮華僑はなぜこうした移住形態をとるのか？」という問いが可能だろう。北朝鮮華僑にとって対北事業の核心は、店舗または購買者を意味する「対方《デバン》（事業パートナー）」と、北朝鮮に居ても華僑であり、朝鮮民族ではない自らの「父母」だ。私が北朝鮮華僑に「他の集団にくらべて、対北事業における長所には何があるか？」と尋ねると、大部分の答えはこうだった。「朝鮮（北朝鮮）に基盤のない一般の漢族や朝鮮族、または韓国人の場合、外商取引に対する負担感があるという弱点があり、対北事業では時に外商取引ができなければ取引の中心から押しだされる他ない。しかし我われ（北朝鮮華僑）は新義州または平壌に家族という基盤があるので、外商取引をしても問題にならない。朝鮮（北朝鮮）に残る家族に品物を送れば、両親が直接品物を売って利潤をよこす。両親が中国に来ない理由は、北朝鮮がより楽だということもあるが、両親まで中国に来てしまったら我われの対北事業の長所がなくなるからだ。対方《デバン》と家族が居れば大丈夫だ」

このように彼らはおもに若い世代が中朝国境を越えて丹東に居住するが、やることの大部分は直接的・間接的に北朝鮮内部にあるみずからの文化・経済資源を活用することだ。彼らのうち中国の他の地域に移る人もいるが、そうした場合、丹東におけるほどに彼らのアイデンティティと関連したライフスタイルが保証されることは難しい。こうした理由によって、北朝鮮から中朝国境を越えてくる北朝鮮華僑は、中国のほかの地域へ移住するよりも、大部分、丹東に居住（滞留）する傾向を見せる。丹東には北朝鮮華僑が自らやるに値する対北事業があり、彼らを必要とする丹東の人が居るからだ。彼らの生活手段である中朝国境往来を活用するには、国境地域である丹東が有利だ。このように彼らは丹東で暮らすが、北朝鮮に残る対方《デバン》と家族を活用して国境貿易をしている。彼らは引き続き国境を往来しようと、北朝鮮華僑から中国国民（公民）へと身分を変えず、丹東で引き続き暮らそうとする傾向を見せる。

最後に、丹東の朝鮮族であるが、丹東の地元民である朝鮮族と、他の地域から移住した朝鮮族の間で、暮らし方に共通点と差異がそれぞれある。地元民たちは丹東の中国社会における政官界進出の範囲や人間関係の幅において中国人と特に差異がない。そのなかで一九八〇年代から対北事業をして富を蓄積した層が相当におり、他の地域から移住した朝鮮族よりも平均的に生活水準が高い。スケールの大きな対北事業をする人びとが、北朝鮮華僑および他地域から移住した朝鮮族よりも多い。

一方で、彼らは一九八〇年代には北朝鮮人と出会い始めたが、一九九〇年代からは丹東を訪れ始めた韓国人もまた相手にし始めた。こうした理由のため、彼らにとっては北朝鮮のみならず、韓国との関係が重要な影響を及ぼす。たとえば北朝鮮と中国の間の国境貿易に従事する朝鮮族は、北朝鮮人の人脈が重要である反面、北朝鮮と韓国の間の南北貿易を丹東で仲介する役割をする朝鮮族においては、韓国人との人脈がより重要である。前者に該当する朝鮮族は、丹東の韓国人と会っているという事実を北朝鮮人にわざと話さない。後者の朝鮮族は、中朝国境を直接に行き来することに注意を払う性向がある。したがって、ふたつの母国であり出身国である北朝鮮と韓国のうち、一方に重きを置く。しかしながら、先に言べたとおり、二〇一〇年を前後して朝鮮族のうち公務パスポートと一般パスポートを利用する方法を動員し、北朝鮮と韓国を自由に往来する者たちがいる。

これとは異なり、ほかの地域から移住してきた朝鮮族が丹東に来た理由は、韓国人よりも北朝鮮人のためだ。彼らの故郷である吉林省と黒龍江省においてすでに知っていた北朝鮮人脈を活用しており、丹東で対北事業をするうえで大部分の丹東地元民の朝鮮族人脈と重ならない様相を見せる。他の地域から移住した朝鮮族は、若い世代が中心的な役割を担っている。

丹東の地元民である朝鮮族と他の地域から移住した朝鮮族の共通点は、丹東で暮らしながら北朝鮮や韓国を活用して富を蓄積しているということだ。さらに彼らのうちには、今日の丹東における生活以前に韓国で経済資源を蓄えた人もいる。彼らにしても、やはりふたたび戻ってきて移住を決心した理由は、中国に暮らしながら北朝鮮と韓国の人脈を活用して経済的利益をはかりうるライフスタイルが、丹東にあることを知っていたからだ。こうした条件は、東北三省の朝鮮族人口が日増しに減っているにも拘らず、丹東市内の朝鮮族人口が一九九〇年代末の四〇〇〇余名から二〇一〇年前後の八〇〇〇余名以上に増えた背景となる。彼らは出身国（韓国）に再移住する方式を選ぶよりも、居住国（中国）において出身国である北朝鮮と韓国の特殊性を活用する人生の方法を選ぶ。

第三章訳註

＊31　**韓飛野**　一九五八年生まれの作家であり、国際救護活動家。バックパッカーとして約六〇カ国を旅行しながら書いた本で著名になった。またワールド・ビジョン緊急救護チームのチーム長として活動するなど、国際救護専門家として活躍する。著書に『風の娘、わが台地に立つ』『地図の外へ進軍せよ』などがある。

＊32　**鴨緑江断橋**　もともと一九〇八年に日本の駐韓国統監部鉄道庁によって着工し、一九一一年一〇月

に竣工した、中国・丹東と北朝鮮・平安北道新義州を結ぶ鉄道橋および人道橋「鴨緑江鉄橋」であった。しかし朝鮮戦争当時の一九五〇年一一月、米軍の爆撃によって破壊され、現在の姿となった。その後、戦争遺跡地として脚光を浴びるようになり、「鴨緑江断橋」の呼び名で知られるようになった。

＊33 **中朝友誼橋**　まず単線で開通していた鴨緑江鉄橋を複線化するために一九四三年に建設された新しい橋が、朝鮮戦争当時、爆撃後の修復を経て従前の鴨緑江鉄橋の名で使用されていたが、一九九〇年中朝両国の合意のもと名称を変えて朝中友誼橋になった。鉄道と車道を併設し、人も通行できる。

＊34 **渡河証**　丹東市公安局の告示するところによると、丹東の国境地域において国境貿易に従事する辺境住民と親戚訪問者および公務員は、中朝間の二国間協議・協定が定めるところにより、申告者本人の住民登録証を提示し、申請書類を辺境地区出入境許可証作成室に提出することで「辺境地区出入境許可証」、いわゆる「渡河証」の支給を受けることができ、おのおの相手方の国への出入りが可能になっている。

＊35 **特定の携帯電話番号の通話不良問題**　二〇一一年五月一一日の聯合通信などの報道内容。中国の通信会社・聯通が運営する133番は、当時、韓国製携帯電話を使用することが可能であったが、これはハングルでの使用が可能であることを意味した。しかし、ある時期から133番の電話が使えなくなった。この経緯をめぐり、133番電話で中国にいる韓国人と北朝鮮国内の北朝鮮の人びとが疎通する状況を憂慮した北朝鮮当局が、これを阻止するために妨害電波を使ったという「憶測」が語られた。

＊36 **東北三省**　中国領土を六つに分けて区分した中国の地理大区のひとつ「東北」から内モンゴルに属する部分を除いた三省、すなわち遼寧・吉林・黒竜江省を指す総称である。「延辺朝鮮族自治州」（吉

林省に位置する）に象徴されるように、朝鮮族が昔から集住しており、高句麗や渤海を通じて歴史的にも民族の起源がある場所とされることから、韓国社会では自国・自民族と深い関係を持つ地域として認識されている。

＊37 **朝鮮族学校** 中国における朝鮮族の民族教育は、「延辺朝鮮族自治州自治条例」第五一条が自治州内における朝鮮語教育を認め、「延辺朝鮮族自治州朝鮮族教育条例」が細則を定めることに依拠しておこなわれている。東北三省においては、朝鮮族のみで構成された「単一民族学校」、そして民族混在の「民族連合学校」内の「朝鮮族学級」の二つの形態で朝鮮族の民族教育がおこなわれている。

＊38 **龍川事件** 二〇〇四年四月二二日に北朝鮮・平安北道龍川郡に位置する平義線龍川駅で発生した列車爆発事件。半径約二キロメートル以内に被害が広がり、一六一人の死亡者のほか負傷者多数が出た惨事となった。北朝鮮政府は早くから国際社会に救援を要請し、韓国・中国を始め、米国・日本・EUなどが受け入れた。

＊39 **滞留期間** もともと「中華人民共和国入境出境管理法」および「外国人在中国就業管理規定」にしたがい、公式に就業および就業滞在資格を持つことができた中国内の北朝鮮労働者であったが、二〇一三年国連安保理の対北朝鮮制裁決議第二〇九四号採択、二〇一八年同第二三九七号によって中国国内における正規就業の道が狭まると、法による規定の拡大解釈などさまざまな手段を講じた入国に切り替えなければならず、滞在資格について一言で説明することが難しくなった。短期訪問や観光ビザ、国境地域の住民による「渡航証」、留学研修などを名目とした学生ビザなどを利用した入国がおこなわれている。研究等目的のFビザが取得できた場合、期限五年の複数ビザであり、最大一八〇日を限度として繰り返し入国が可能であるが、各労働者が持つことになる実際の条件は多

様であり、三カ月ごとに再出入国が可能な労働ビザ、一カ月期限で再出入国が不可能な短期滞在ビザなど、条件面で劣り不安定である。

＊40 **対北宣教**　福音が実現される過程として民族の最大過程である統一を展望し（福音統一）、その具体的なプロセスとして「東方のエルサレム」と信じるところの平壌の修復をあげて、北朝鮮における信徒および教会の回復をめざすようなプロテスタントの宣教活動。その宣教対象として脱北者を見出し、彼らを中朝国境等の地で救護すると同時に宣教し、信者として育成し、福音統一の主体として組織することを目指している。

＊41 **江南のおばさん**　一九六〇年代に始まった高度経済成長に続き、一九七〇年代にソウル江南地域の開発が始まると、高収入層の江南地域転居が続くと同時に、そうした江南居住者を中心に、その開発を投機の機会にして利益を生み出す、「福婦人」と俗称された主婦投資家たちが出現した。そのような新たな投資主体は高度成長期を経て増加し、一九九七年のIMF危機当時の家計不安を経て、投資活動は専業主婦の一般的な副収入手段としての位置づけまで持つようになった。「江南おばさん」はかならずしも文字通りソウル江南地区居住の中高年女性を味するものではなく、積極的投資などで資産増殖を享受する富裕層女性を指す隠語だ。

第三章原註

（22）『京郷新聞［경향신문］』二〇〇九年九月二二日付「中・丹東、港湾都市を夢見る：鴨緑江に開発の風、北、閉ざされた門を開けるか［中 단둥、 항구도시를 꿈꾸다： 압록강에 부는 개발 바람、 북 닫힌 문 열까］」

(23) 金光億［김광억］（一九九七）二三頁

(24) 朴光星［박광성］（二〇〇六）、梁泳均［양영균］（二〇〇六）九三～九八頁

第四章

丹東、三カ国貿易の中心地

丹東の「未来言説」が見逃しているもの

丹東は、平壌と約二二〇キロメートル、ソウルと約四二〇キロメートルの距離にある。この距離には中国と北朝鮮、そして北朝鮮と韓国の間に置かれた、ふたつの国境がある。このような物理的・心理的距離をつなぐ媒介として、丹東の人びとは京義線[*42]復元の波及効果と、それにともなう希望の話しを持ちだす。夢はそこに留まらない。彼らは中国との結びつき、またはロシアと日本を含めた東北アジアと関連した青写真を語る。さらに「鉄のシルクロード[*43]」の中心地として浮かびあがる、丹東にまつわる夢を語り合う。丹東の未来を論じつつ、その意味を重要なものとして付与する人びとのあいだで共有される思いは、すなわち東北アジア物流の中心地になるであろうという期待だ。

【メモ・03】アジアン・ハイウェイに対する希望

二〇〇六年から「アジアン・ハイウェイ（Asian Highway）」という文字の書かれた表示版が、韓国の京釜高速道路周辺に設置されている。これと似た脈略から韓国の臨津閣国民観光地・都羅山駅・統一展望台などにおいて、「夢の道」と表現された文言を含んだ地図に出会うことがある。このように北朝鮮と韓国に及ぼす経済的効果、南北鉄道連結にともなう東北アジア経済協力の拡大、韓国の東北アジア物流中心国家としての跳躍などに言及しながら形成された「南北ならびに東北アジアの鉄道連結と経済協力[25]」に関連した言説は、韓国社会の関心対象である。しかしこうした議論と期待は、現実化されずにいる。

「丹東はどんなところか？」「丹東にあなたが暮らす理由は何か？」「丹東がなぜ重要なのか？」という問いに、丹東の人びとは現在よりも未来を語る。応答の核心は、やはり中朝国境と南北国境を通過する鉄道が開通すれば、丹東が東北アジア物流交流の核心になるだろうということだ。また、みずからがここに存在する理由と意味については、いつか丹東で自分たちが主人公となるためだと語る。こうした内容を聞いていると、あたかも丹東国境都市の役割と意味が未来にだけあるようだ。その上、現在彼らの暮らしにおいて国境と関連した行為や姿はないように思われる。

韓国の研究者とマスコミが集中する丹東の役割もまた、現在ではなく未来に焦点が合わされている。すなわち北朝鮮という変数と、今後の北朝鮮・中国・韓国の出会いを予見し、診断するのだ。

こうした議論には、三カ国貿易の結びつきが覗われもするが、実際、丹東の現実と現況に対する正確な理解が不足している。たとえば、丹東から韓国に輸出する品物の相当数が中国との中継貿易であるが、この過程において目立つ北朝鮮華僑の存在と役割などが簡略に説明されてしまう。中国と韓国、さもなくば中国と北朝鮮との間の貿易に焦点が合わされるばかりで、三者の協力は丹東の未来において始めて現れるもの、と考えられる傾向が強い。

このような結論の根拠は、アンケートと国境貿易に従事する中国業者に対するインタビューが中心であるからだ。ところがこうした研究方法と分析には、丹東で現在実践されている三カ国間の国境貿易に対する理解があらかじめ存在しないという点、あるいは丹東と関連した中国側の貿易の歴史と貿易統計資料を検証抜きにそのまま受け取り、利用するという問題がある。とりわけこうした論議は、丹東の国境貿易統計には見える地点と見えない地点があるということの重要性を無視してしまう。

丹東、三カ国の熾烈な貿易戦略が繰り広げられる都市

一九九〇年代の初めから形成された三カ国間の出会いの舞台である丹東と、その国境地域文化を

はっきりと理解するためには、まず中朝友誼橋を通じて中国から北朝鮮に向かうトラックにだけ注目せずに、この橋に背を向けたまま丹東国境地域の変化とその隠された意味を検討してみることが必要だ。

まず丹東内の商店では誰が販売しており誰が購入するのか、そしてそれらの品物はどのようにそこに来て、どこへ売られていくのか把握することは、三カ国の間の連結点となる丹東国境地域の変化を理解する端緒となる。丹東には中国と韓国の製品だけがあるのではない。たとえば北朝鮮の貿易会社が主軸となって「朝鮮民主主義人民共和国輸出入商品展覧会」が開かれたりするのだが、このように丹東の国境地域は三カ国の多様な品物が集められ、ふたたび三カ国へとそれぞれ流れ込んでいくところだ。こうした流通の流れを追う出発点は、三カ国を代表する国旗である。

丹東の通りにおいて三カ国の国旗の役割は、販売される品物と販売者の戦略を象徴することだ。実際にいくつかの店舗の陳列台の前、または商店の看板を見ると、北朝鮮・中国・韓国の国旗がいっしょに立てられていたり、描かれている。これはこの店舗の商品が、三カ国の顧客をすべて相手にしていることを象徴的に示す。店舗に陳列された三カ国の品物としては、北朝鮮の農水産物、中国の玉《ぎょく》製品、韓国の食料品などが代表的だ。三カ国の国旗は食堂内部の装飾としても使われる。この時、丹東の人は、メニューに三カ国を代表する料理があり、食堂の社長が三カ国の客をおもな顧客にしていることを把握する。

丹東で三カ国の国旗は、商品と顧客のアイデンティティを表すもうひとつの表現である。

北朝鮮で制作された手芸作品である。注文者は韓国人であることを推し量ることができる。

国旗のみならず、三カ国の都市の名称使用は、三カ国が連結されているという点を代弁する。通りで見ることのできる宅配会社の窓ガラスには、三カ国の国旗または地名が三角形に配置されている。これは丹東－平壌－ソウル、すなわち三カ国間の宅配サービスが可能であることを直接的に見せてくれる。この他にも、宅配の役割を担う人びとがいる。北朝鮮と中国、または中国と韓国を往来する行商人、中朝間の国際列車を利用する人びとを始めとして、中朝国境貿易を担当しているバス・トラックの運転手たちは、少量の品物・書類・手紙を、平壌から丹東を経由してソウルに伝達したり、その反対の経路である韓国から北朝鮮へ伝達することに携わる。このように丹東は三カ国を連結する人の便が発達している。

三カ国を連結する中朝友誼橋と丹東フェリー

中朝友誼橋が北朝鮮と中国の国境だけを連結し、両国家だけの関係が結ばれる場ではないことを知るには、この橋がどこと続いているのかを見ればよい。この橋は北朝鮮側では新義州と平壌、中国側では大連（三二四キロメートル）、瀋陽（二四〇キロメートル）が高速道路で繋がっている。そして大連（一時間の距離）と瀋陽（一時間四〇分の距離）は、仁川空港と連結されている。二〇一〇年中盤までには、丹東と大連ならびに瀋陽の間に高速鉄道が完工する予定である。二〇一二年、丹東空港は国際空港へと変貌するために拡張中である。

またこの橋からは、丹東市に属する中国の国際港湾である丹東港まで、車で四〇分もあれば充分だ。二〇一一年初めに起工式をおこなった新鴨緑江大橋は、同港まで車で二五分もあれば到着できるところ（約二五キロメートル）に建設中である。この港湾と仁川港の間には、午後五時に船に乗ればそれぞれ中国と韓国で朝を迎えられる路線（二四五海里）がある。一九九八年から毎週二、三回ずつ往復しながら最大人員六〇〇名と貨物一一〇トンを積んで運んできた丹東フェリーは、二〇一一年、約八〇〇名を越える人が乗れる船に変わった（毎週三回出港、月・水・金が韓国出港、火・木・土が中国出港のコースだ）。

この船を運航する会社は、毎月一〇日間隔で丹東－新義州、あるいは南浦を行き来し、おもに過境（中朝国境を往来する）運送を担当する船舶路線も営業中である。二〇一二年、丹東から南浦に向かう貨物船には、約一〇〇万ドル相当の肥料・掘削機・家電製品などが積まれた。二〇一一年、丹東と南浦の間を行き交うこの会社の運行回数は約三〇回であった。

丹東港には、韓国から北朝鮮に送る救護物資を載せた船、丹東－仁川を週二回往復する貨物船（コンテナ船舶）、丹東－平澤港を不定期的に往来する貨物船も停泊する。そして、そこでは北朝鮮国籍の船が丹東フェリーのすぐ傍らで荷役作業をすることもある。

中韓国交樹立を前後して、丹東は韓国人が絶えず訪れるところとなった。しかし、丹東と韓国の実質的な交流は仁川－丹東の間を運航する丹東フェリーが就航した、一九九八年を出発点と見ることができる。中国と韓国を往来する旅客船の場合、韓国社会はおもに中韓貿易のうちの行商人と彼らがもたらす中国農水産物に注目する。しかし、このうち旅客貨物船である丹東フェリーは、三カ国貿易と関連した多様な方法、そして船便を提供している。

韓中貿易のみならず南北経済協力の核心的通路である丹東フェリー

たとえば彼らは丹東で消費されるものと合わせ、物品の次の送り先である北朝鮮を念頭に置き、丹東フェリーに品物を積む。代表的なものとして、彼らは丹東にいる北朝鮮人も好む韓国産炊飯器を、ひとつずつ手元に携えている。二〇〇四年を前後して活発であった、俗に「孝行観光[*44]」として知られた韓国の観光客は、丹東で観光ガイドである北朝鮮華僑と朝鮮族の引率の下、ただ国境観光に赴く存在ではなかった。旅行社が募集した観光客である彼らもまた、やはり丹東フェリーの行商人たちがおこなう三カ国貿易のつながりに、一役買っている。

韓国の行商人たちは、大部分、中国の東港と丹東に直接、貿易商会を置いている。たとえば彼らが丹東フェリーを通じて運び入れた

丹東港には韓国船籍の船ばかりでなく北朝鮮船籍の船も目撃される

韓国から持ってきた品物は、貿易商会を経由して丹東市内の食料品店と家電製品商店、そして洋品店に展示される。ここまでは中韓貿易に該当する。しかし販売者の大部分は北朝鮮華僑と朝鮮族であり、北朝鮮人はこの品物を購入するおもな顧客に含まれる。

小売りではない卸しで売られる品物は、丹東よりも中朝友誼橋を通過して、すなわち中朝国境を超えて北朝鮮で消費される。この場合、韓国人が介入しており、韓国の品物であるにもかかわらず外形的には中朝の貿易にだけ見え、貿易統計でもうまく把握されない。反対に丹東で購入した北朝鮮の品物は、ふたたび行商人によって韓国に入る。また衣類などと関連した原材料は、汽車とトラックで国境を越えてすぐの新義州に渡る。時折、丹東

―北朝鮮の間で公式的に運航される船舶によって運送される。

北朝鮮で完成された衣類は、また行商人とコンテナを経て、丹東フェリーを運送手段として韓国に送られる。時に丹東で販売される韓国の品物は、北朝鮮に入ればもはや韓国産ではない中国産として売られる場合がある。また中朝の国境を越える時だけ中国産になっても、北朝鮮で販売される時には韓国産として売られもする。反対に丹東で販売されたり、丹東を経由する北朝鮮の品物は、韓国で北朝鮮産や中国産として流通することもある。こうした事例は不法的手段よりも国境貿易の特徴と便宜的手段を活用したものが一般的だ。この条件のために、中国内の他の地域と異なり行商人たちによって韓国に持ちこまれる品物には、中国ならびに北朝鮮農水産物と製品が一緒に入っている。北朝鮮と韓国の関係変化や、韓国の消費市場の状況（北朝鮮産志向度の変化、北朝鮮産よりも中国産の価格形成がよい場合）に従って、韓国ではおもに中国産として流通されることもある。

二〇〇七年、北朝鮮の核事態の前後においても、丹東フェリーに積まれた品物の金額は一回の運行につき約一五億ウォン程度であった。丹東フェリーの関係者は「二〇一一年、丹東港の港湾物流量は七六三七万トンだ。一九九八年から一五年間、丹東フェリーを通じた人的交流を見てみると、約一五〇〇万名が丹東と仁川の二つの都市を行き交った。正確な数値を摑むことのできない行商を通じた物的交流を除外し、この船を通して一五年間で七五〇〇万個のコンテナが行き交った。ひとつのコンテナが発生する資金移動を最低一万ドルとして計算すれば、計七五〇〇万ドルの資金移動があった」と説明する。これは単純に、韓国と中国の間の資金移動だけを意味せず、韓国と北朝鮮の貿易および資金移動も含まれている。ここで金額は物の単価であり、三カ国で販売される単価はまた別の計算が必要である。

北朝鮮で消費される中国産と韓国産をめぐる謎解き

二〇〇〇年代に入って北中／中朝間の交易が持続的に増えていった。これによって中国を相手にした北朝鮮の交易依存度が高まったとする見方、そしてこの時に南北交易の減少が中朝交易の増加につながったという見方が主流となった。こうした見方には、中朝経済協力の拡大ならびに南北経済協力の萎縮という、相互対立的な関係として眺める傾向が明らかである[26]。こうした脈略において、二〇一一年初めにほぼ同時に報道されたふたつの記事の内容が注目された。ひとつは北朝鮮市場において中国製品が八〇～九〇パーセントを占めるという点、もうひとつの記事は北朝鮮にも韓流の熱風、すなわち韓国の品物が流通・流行しているという点を紹介する。

現在、北韓（北朝鮮）の対中貿易依存度は、南韓（韓国）を除外した場合にほぼ八〇パーセン

ト近い。北韓市場では、中国製品が八〇～九〇パーセントを占める。(27)

（韓国）統計庁は北韓主要統計指標報告書に付録として挿入された経済社会像部門で、『開かれた北韓通信』*45を引用して北韓の韓流熱風を詳細に紹介した。北韓に流通される製品は、ミキサー、熱風機（温風機）、ガスレンジ、ガス湯沸器、銀ナノ・ランチジャー、ガスストーブ、高圧釜（圧力釜）、布巾、手袋などで、こうした製品には韓国製の商標名がついていることがわかっている。(28)

北朝鮮で消費される製品について対照的に言及しているふたつの事例のうち、果たして北朝鮮の現実はどちらに近いだろうか？　前者［＊八〇～九〇パーセントのシェアを占める中国製品］は北朝鮮の経済事情を考慮するならば、常識的な範囲で予想可能である。しかし、後者［＊韓国製を示す商標のついた韓国製品］は二〇一〇年に延坪島事件が起きるやいなや、対北水害支援物資*46を即時回収する韓国政府の措置があったにもかかわらず、二〇一一年にも依然として北朝鮮に韓国の物品がどうやって流入するのかという疑問を抱かせる。明らかに北朝鮮において中国製品と韓国製品が同時にあることが、理解できない面がある。さらに対北制裁あるいは対北封鎖政策の実効性にも疑問を抱かせる。

しかし異なる次元で見るならば、北朝鮮市場に中国製品と韓国製品が共存しうる理由がいくつかあった。まず中国は北朝鮮と韓国の一番重要な交易国かつ、ふたつの国はともに往来が可能な国家だ。ゆえに中国はふたつの国を連結する第三国として、大きな意味を持つ。一般的な貿易統計に見られる通り、[29] 捉えられない数値と貿易活動が、中朝貿易と南北貿易の交流にもある。この問題をより掘り下げれば、中朝貿易において見えない韓国の存在、南北貿易で認識されない中国の国境都市の役割と対面することになる。

国境貿易、「中朝経済」に空いた余白

二〇一一年、北朝鮮と中国の経済関係を示す指標は、韓国社会の関心の的である。韓国政府が掲げた対北封鎖措置に対する実効性の判断基準となるためだ。[30] また北朝鮮経済の変化に対する分析ツールとしても使われる。こうした状況において、二〇〇〇年代前後の中朝関係を説明する時、韓国の研究者たちは中国と北朝鮮の間に発生した貿易数値統計をおもに引用している。たとえば、彼らは中朝貿易金額の変動と輸出入品目だけがある資料を分析したり、説明する。ここでの貿易主体は北朝鮮と中国である。統計の内訳に対する説明などを読んでみると、北朝鮮と中国の経済関係の他には解釈される余地がないものと思われる。

しかし丹東で繰り広げられる国境貿易の状況と現実を考慮するとき、統計資料で摑めない部分と

主題がある。まず研究者たちの共通の見解を整理してみると、中朝国境貿易には統計で捉えられない灰色地帯、すなわち非公式領域があるということだ(31)。とりわけ行商は、中朝貿易の統計にも捉えられない場合が多い。普通、人民元で二〇〇〇~三〇〇〇元以下、あるいは最大六〇〇〇〇元である場合には統計から除外される。これについて丹東の人は「蟻の引越」という表現を使う。文字通り人びとが絶えず国境を往来しながら品物を運搬するということだ。そして「人びとが一度に運搬する量には限界があるが、価格には限界がない」と語りながら、行商貿易の限度とは関係なく、彼らの担当する貿易額の規模を迂回的に指摘する。実際に北朝鮮人が韓国人から直接購入して北朝鮮に持っていく韓国産の小型ノートパソコン、あるいは東大門印*47の18Kアクセサリーだけとっても、この言葉の意味と統計値の限界が大まかにわかる。中国の食料輸出業者たちは、実際の船積時に自分たちが確保したクウォーターよりも、通常三〇~五〇%以上の量を積むことで知られている。しかし統計には確保したクウォーターだけが捉えられる。

これにかかわるのは、中朝国境を行き交う人びとと鴨緑江の船である。毎日、中朝国境を往来する貨物トラックとバスの運転士たち(漢族)ばかりでなく、決心さえすれば北朝鮮に行くことのできる朝鮮族、定期的に中朝国境を往来する北朝鮮人と北朝鮮華僑の人的規模、そして彼らが運搬する物量と価値を考えれば、貿易統計の隙間は拡がる。

これに加えて、北朝鮮から丹東に出て来る小規模な品物もある。このうち北朝鮮で制作された手工芸品（手芸作品、ふとんと韓服刺繍）[*48]などは嵩が小さい。ゆえにこの品目は、統計に捉えられない中朝国境を行き来する国際列車の乗客の手を伝って、受け取ることができる。丹東で活動する貿易業者の間では「北朝鮮は手先の技術と関連した製品を作るうえでコストパフォーマンスが最高であるから、韓国人が好んで選ぶ」と語る。この言葉の含意されるのは、すなわちこれらの物が丹東に留まらず、韓国の消費者にも販売されているということだ。

公式的に登録された海上貿易船の他にも、鴨緑江には貿易と関係して国境崩しが可能な数多くの船が停泊中だ。これらの船は、丹東の人にとって国境税関を通過しなければならない中朝友誼橋の他に、国境税関を通過しないあまたの中朝貿易通路の役割を遂行する。ここで生じる貿易量は、統計数値の領域外である。しかしながら統計数値の他にも、研究者たちが見逃す内容がある。統計数値には中朝国境貿易の主体のうち、韓国人の経済活動は捉えられない。

すなわち中朝貿易の数値を作りだす主体は、北朝鮮人とともに北朝鮮華僑と朝鮮族（中国人）によるものとだけ思われているのだ。しかし、丹東で中朝貿易に加わるもうひとつの主人公であり主体は、韓国人だ。彼らが含まれる時にのみ、実質的に取引される中朝貿易の品目と現況が正確に把握できる。

たとえば、彼らは丹東フェリーで運搬される品物と三馬路で販売され購入される品物と関連して、中朝国境貿易の主体である三集団と関係を結んでいる。そして三集団は韓国人の関連した物品や、韓国産製品を売り買いするが、この物品が中朝国境を通過する時は、中朝貿易の統計数値としてだけ計算される。この時、中朝国境貿易の行為者たちは、北朝鮮と中国国民としてだけ想定される限界がある。

原産地は重要ではない——もうひとつの国境崩し

丹東の国境貿易において、三カ国が参入しうる条件と現実を理解しようとするならば、丹東から北朝鮮に輸出されたり輸入される品物の原産地と流通の流れに見当をつけねばならない。丹東には韓国人が社長職を務めたり、北朝鮮人が労働者として働く縫製工場が存在している。まれに北朝鮮で製作された衣類が、最終的に丹東の中国系企業で仕上工程を経る時もある。ここで作られる衣類は、多様な方法を通じて中国が原産地となる。したがって、こうした方式を通じて丹東で作られた製品が韓国で消費され、ふたたび中国へと渡る場合も想定できる。韓国でいわゆる「在庫整理」された衣類と製品が、額面価ではなく量り売りで再度中国へ再輸出される事例もあるが、これを購入するおもな顧客のなかに北朝鮮人もいる。

この過程において、貿易主体のうちのひとつの軸は北朝鮮人と韓国人だ。ところが品物は大部分北朝鮮での生産工程を経たにも拘らず、原産地が中国と表示されている。この場合、北朝鮮人はこうした品物を中国産と認識して購入する。甚だしくは、ある脱北者は韓国の研究者とマスコミに「自分たちは中国産を消費した」と陳述しさえした。こうした品物には国境、すなわち国籍が表示されているが、その品物を生産・流通し消費する過程で、国境は無意味さを見せてくれる。むしろ品物の価格が国境を通過する理由となる。

先に述べた事例とともに、丹東の人びとは原産地と関連して国境を崩す方式を知っている。韓国製品は基本的に北朝鮮では通関できないという先入観があるが、中朝国境貿易の場においては、「Made in Korea」という表示において最低限「Korea」を消せば問題とならない。二〇〇七年、対北貿易のひとつの場面を経験したある朝鮮族は、私に「最近はMade in Koreaという表示があっても、通過したりもします。北朝鮮人も、中国で韓国の偽物をたくさん作っているということを知っています。そこで北朝鮮の税関にこう言えばいい。これは中国で作った韓国の偽物です。そうすれば問題はありません」という逸話を教えてくれたりもした。

このように、国境の向こうで作られた韓国製品は、北朝鮮で黙認という方式で流通したり、原産地が中国産に変えられて流通したりする。こうした点を考慮するとき、品物の原産地あるいは生産地が表記されたラベルに注目するというよりは、中朝貿易の主体と流通の流れ、そして韓国製品が北朝鮮へと入っていく仕組みを考察する必要がある。

中国企業と外国企業に対する視野を拡げてみることも、検討されるべきだ。「中国企業」という名称には、北朝鮮華僑や朝鮮族が運用する会社も当てはまる。韓国人が資本を投入した中国企業もここに属する。この企業は北朝鮮人のみならず、韓国人も相手にする。北朝鮮と取引する韓国人は、基本的に直接的な取引が容易ではなく、中国の貿易関連規制によって中間に中国の企業が介入する方式を選択する。一方、丹東に北朝鮮の民族経済協力連合会（民経連）代表が常駐している理由は、韓国人を相手に直接的な経済取引をするためだ。しかし利益創出の極大化すなわち価格問題のため、四集団は民経連よりは中国の会社を間において間接的に経済交流をすることを好む場合もある。したがって、表面上は国境貿易がなされる中間過程において、中国の代理貿易会社が主導する形となっている。その結果、統計に捉えられない北朝鮮と韓国の取引が増えれば、中朝貿易の統計数値は上がるほかない。丹東には国境崩し、すなわち南北経済協力における無関税取引を支えてくれる民経連が存在するが、国境貿易においてはむしろ国境づくり戦略、つまり現実的な理由から中国企業の利用が図られる。

この反対に「外国企業」という名称は、南北貿易と関連した国境崩しを目につかないようにする術として動員される。韓国企業との取引を通じて対北事業をおこなう北朝鮮華僑と朝鮮族に中間業者の役割を問えば、彼らと親しくなる前は「自分は朝鮮（北朝鮮）と外国企業を結びつける仕事を組織する」のだと語る。三カ国が介入した国境貿易において、国境崩しと関連した対北事業をしているにも拘らず、彼らは丹東にある韓国の会社も、外国企業と呼称する。

こうした状況の延長線上に、北朝鮮と中国の貿易において賃加工事業が増えている原因も理解できる。ここで考えてみるべき点は、南北経済協力のなかで丹東でおこなわれる賃加工の占める比重と合わせ、それがいかになされているのかを吟味してみることだ。中朝貿易と南北経済協力の流通の流れを把握する、丹東の中国海運会社に一〇年近く勤務したある人は、二〇〇七年基準で賃加工を含めた北朝鮮と韓国の実質的な貿易の九五％が丹東でなされ、平壌と韓国の直取引規模は五％程度と把握する。

二〇〇七年基準で、北朝鮮は鉛・銅・ニッケルなどの地下資源を丹東に輸出し、丹東ではこの物資を韓国へ輸出する構造が続いている。このため丹東の輸出物量の五〇％が北朝鮮産と推算される。ところが韓国に入れば中国産となる方式が維持されている。また、他の例として、鴨緑江と西海で獲れる水産物は誰が捕まえたのかではなく、最終的に海で誰に引き渡されたのかによって原産地が決定されるという取引方式もある。たとえば北朝鮮漁船が捕まえたものの、海で中国漁船に移された水産物は中国産である。これをおもに韓国の水産業者らが韓国に輸出する。ただしこうしたことの大部分は、北朝鮮華僑と朝鮮族が韓国人のかわりに仕事を処理するので、こうした類型の貿易取引に韓国人は居たとしても表面的に貿易書類には現れない。

これまで言及した内容に照らして見る時、中朝国境貿易を両国家だけの貿易と分析する論議には限界がある。したがって、丹東でおこなわれる国境貿易の特徴と性格を理解するには、国境崩し、すなわち世界はひとつの市場になっており、生産体制と消費市場、原料供給源などは、いまや国境を超越して形成されているということを思い浮かべる必要がある。(32)

丹東の国境貿易において、三カ国の間の経済活動は各国のみならず、各国の国民が指向する目標に符合した形態でなされたり、あるいは食い違った形態で展開される。これと併せて、国家や個人の次元で利益創出を目的とする国境構築も実践されている。そこでは北朝鮮人も例外ではなく、韓国人の参加も含まれている。この点を勘案するならば、北朝鮮に対する中国と韓国の経済関係が、中朝貿易と南北経済協力(貿易)というそれぞれの場において成立しているという見方と分析に対する再解釈が要求される。

南北経済協力は韓国の一方的な施しなのか

商業的取引と非商業的取引をすべて含む南北経済協力の範疇によって、韓国社会における南北経済協力のイメージは、北朝鮮に対する韓国の一方的な施し関係という先入観が強い。言い換えれば、南北経済協力の統計金額すべてが非産業的取引という偏見があるのだ。しかし、南北経済協力において商業的交易対非商業的交易の比重は六対四程度から、二〇〇六年以降八対二の比重となっているのが現実である。[33] さらに原材料輸入が含まれる商業的取引の交易において現れる数値が、そのまま北朝鮮の外貨需給と結びつくと見ることはできない。[34]

このように、南北経済協力は北朝鮮に対する韓国の一方的な施しではない。むしろ産業的交易の比重が高い。原材料輸入が北朝鮮の外貨需給と結びつかないという指摘に対する根拠は、丹東では韓国人が運営する衣類会社を通じて補充できる。この会社が北朝鮮の工場で賃加工をすれば、次のような状況が発生する。まずは中国の品物を北朝鮮に送らねばならない。そして南北経済協力の関税優遇を受けるためには、資金内訳を韓国に申告せねばならない。この場合、原材料費用は実質的に中国に支払ったが、南北経済協力では韓国が北朝鮮に原材料費用を支出したものとして統計に把握される。しかし、韓国の会社は賃加工費用のうち、北朝鮮の民族経済協力連合会（民経連）に賃加工労働費だけを支給したにすぎない。

こうした様式が展開されているということは、二〇〇三年基準で北朝鮮の対中輸出の場合、保税貿易が全体の七〇パーセント、輸入の場合五パーセント未満であるという統計にも見ることができる。[35] 北朝鮮に輸出される元の部材・資材は、保税貿易に該当しない。中国産が輸出されるからだ。

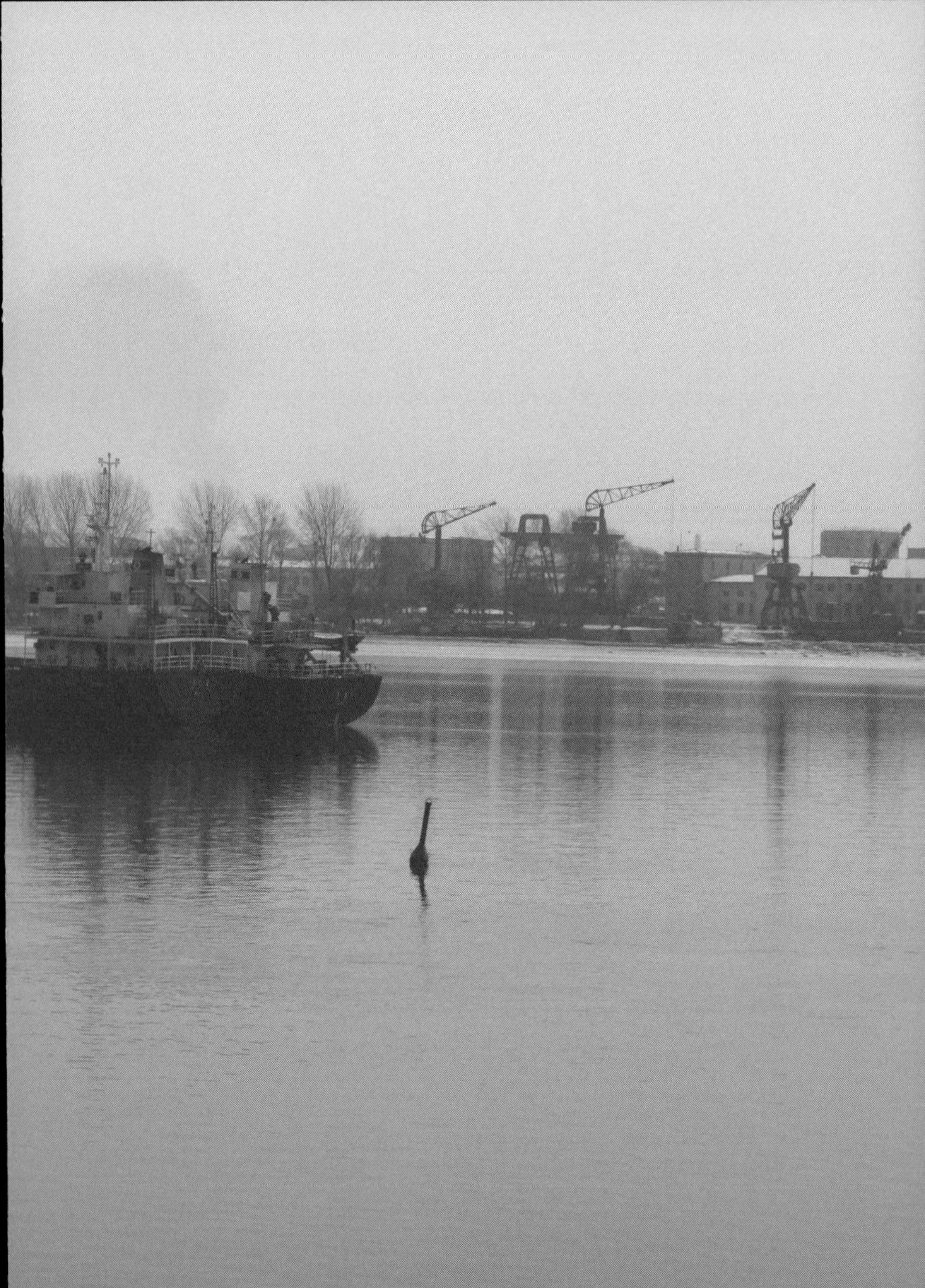

2013年、北朝鮮の第3次核実験の直後の鴨緑江の風景。北朝鮮船籍の船に現代のロゴが鮮明なコンテナボックスが見える。もちろん中の品物が何であるか確認することはできないが、こうした風景が日常的なここは、同じ時期に核実験を通じて形成された北朝鮮を眺める韓国社会の視線とまったく異なることがわかる。

しかし元の部材・資材に加工された衣類の場合、おもに保税貿易を通じて中国を経て韓国に到着する。こうしたことが上の統計で北朝鮮保税貿易の輸出入差異が生じる、原因のうちのひとつだ。

韓国の会社が他国で製造するよりも北朝鮮賃加工の経費がかさむ場合、取引を維持する会社はない。委託加工交易は一九九二年に始まったが、浮き沈みの激しい単純交易と異なり、持続的な増加傾向を維持している。委託加工交易品目は、二〇〇五年当時九〇パーセントが衣類に集中した。残りはＴＶなど電気・電子製品が七パーセント、生活用品が三パーセントを占めた。南北委託加工交易に参加する南側企業の数は、年間一〇〇～一五〇事業所程度で維持されている。(36)

こうした背景には、南北経済協力における委託加工交易は、韓国企業の利潤創出（東南アジアにくらべて加工時間の短縮と加工の質が高い）になるという事実がある。このような貿易が維持されてきたために、産業的交易の比重が高いのだ。一方、委託加工交易を含む北朝鮮を相手とした貿易は、北朝鮮の内部事情により危険負担が高いのが現実である。しかし、ほかの国家にくらべて、それだけ利潤創出または収益率が高いというのが、丹東の人びとの判断であり投資背景だ。

南北経済協力における商業的な取引は、基本的に韓国の事業家たちの利潤追求が主要な動機となる。二〇〇二年から丹東で対北事業をしている韓国人は、対北事業について「北韓（北朝鮮）での作業上の長点として、縫製の質が中国やほかの新興開発途上国の水準よりも平均的に優秀だ。南韓の取引先が内需用に輸入する場合に関税免除を受けられる。中国での生産にくらべて賃加工費が安い」ということを長所として選んだ。あわせて、こうした経済活動の受益者は、韓国の起業家とより安い品物を消費することのできる韓国人である、という点を付け加えた。

関連した具体的な例をあげると、A社は丹東で韓国大企業の下請けを担う会社のうちのひとつである。この会社は対北貿易のうち衣類分野でもっとも大きな規模のところでもない。しかし韓国人が社長とチーム長であり、朝鮮族と北朝鮮華僑が通訳と北朝鮮人の相手をし、漢族が資材を管理し、北朝鮮人が定期的に訪問するA社は、二〇〇九年、登山着約八〇万着を北朝鮮で作った。その後、A社で製作した衣類は、ホームショッピングと登山用品店を通して、韓国の消費者に販売された。コストパフォーマンス競争をすることのできたこの衣類は売り切れ、追加生産に入った。

丹東に暮らす韓国人にとって対北事業の伝説、すなわち成功した事業家として記憶される韓国人は、韓国がＩＭＦ危機を被った時期以前の一九九〇年代中盤に対北事業をした者たちだ。彼らのうちある者は、自分たちと結びつきのない韓国大企業はなかったとさえ述べた。再度の全盛期が二〇〇五年前後であった。その時を丹東の韓国人は「気楽に事業のできた時期」として記憶する。

二〇〇六年秋、北朝鮮の核実験発表当時、対北貿易は維持された。二〇〇七年一二月、韓国の大統領選挙があった日、丹東のある食堂で会った北朝鮮人と韓国人たちが、「上（北朝鮮政府と韓国政府）ではいまだに合わせていないが、すでに下（北朝鮮人と韓国人）は心を合わせている」という新年の挨拶を交わしたりもした。この表現は四集団が対北事業を成功裏に推進する時に、北朝鮮と韓国は

【メモ・04】北朝鮮の労働力に対する韓国の研究者の評価

チャン・ギョンソプは、北朝鮮内の良質な低賃金労働力に注目しながら、次のように語る。[37]「北韓（北朝鮮）の労働力は若く、男女がともに働き、教育水準が高く、（この間の貧困にも拘らず）健康で、組織規律に馴れ、（貧困ゆえに）労働意欲が高い。こうした労働力は簡単に得られず、北韓は労働人口数値をずっと越える潜在的労働力を保有していると見ることができる。男女共有の労働参加、高い教育水準、良好な健康状態、訓練された組織生活は社会主義が残した遺産であり、同様の理由で非常に強力な労働人口競争力を保有した中国人が世界の工場の地位を獲得したことが示唆的だ。すでに北韓の労働力を活用した経験のある南韓の企業は、彼らの資質と態度に大いに満足し、中国の労働者よりもましという」。

いまだに統一されなかったが、自分たちは経済的に統一されている統一先駆者であることを自讃する時に、しきりに使われる言葉である。

二〇一〇年、韓国で起こった天安艦事件と、延坪島砲撃事件は当局の国境貿易にも影響をきたした。李明博大統領の「5・24対北制裁措置」*49、すなわち南北貿易中断は、国境の向こうの北朝鮮のみならず、もうひとつの国境の向こうである丹東に住む韓国人の経済的生活にも影響をきたした。しかし、韓国人を除いた丹東の国境貿易には、もうひとつのチャンスにもなった。日本の貿易家たちが撤退して生じた枠に韓国人が入ったことで比較的活性化されていた北朝鮮の賃加工事業には、制裁措置以降、また別の国の業者を新たな事業パートナーとするチャンスが巡ってきた。とりわけ、中国労働者の人件費が上がる状況において、北朝鮮の賃加工は中国の衣類業者には重要な投資対象であった。

こうした状況において、丹東韓人会会長は韓国マスコミに「この先長期間、北韓（北朝鮮）産を輸入できないのなら、北韓製品を中国から輸入してメイド・イン・チャイナへ商標を変えた後に、韓国へ持ち込むほかない」と語った。[38] 先に言及したように、こうした方式は丹東の国境貿易においてはっきりと存在した。これを積極的に活用したケースは、三カ国貿易の他にもあった。北朝鮮と日本の間の国境構築が激化しながら、日本人が丹東の人びとの経済活動方式を選んだのだ。二〇一一年五月のある日、日本の警察が北朝鮮から衣類を偽装輸入した業者を逮捕したというニュースが報道されたりした。[39]

第四章訳注

＊42 京義線　京義線は、旧韓末‐日本統治時代に整備された鉄道路線であり、京城、つまり日帝時代のソウルと義州を結ぶ路線を意味する。但し、実際にはソウルから当時義州近郊に新しく開発された市街地・新義州を経て、鴨緑江鉄橋を経て安東、つまり現在の丹洞につながり、そこで南満州鉄道に接続していた。ソウル‐新義州間の総延長は約五〇〇キロメートル。解放・分断を経て京義線も都羅山‐板門の間で断絶していたが、二〇〇〇年南北首脳会談での合意により二〇〇三年に連結さ

れた。ただし平時の運用はおこなわれていない状態にある。現在、京義線の北朝鮮地域は、平壌を起点に平義線と平釜線の二路線に分けられて運用されている。

＊43　**鉄のシルクロード**　朝鮮半島縦断鉄道（TKR）網とシベリア横断鉄道（TSR）、中国横断鉄道（TCR）、満州横断鉄道（TMR）などがひとつにつながるユーラシア鉄道網を意味し、金大中大統領（当時）が二〇〇六年四月の第四次アジア欧州首脳会議（ASEM）において提起した後、南北和解と協力に脈絡づけられた韓国の政治イシューのひとつとなった。ユーラシア大陸を横断しヨーロッパと東アジアが繋がる時に社会的・産業的効果を生み出し、韓国がそのハブの役割を果たすという繁栄に対する希望的観測、そしてこれを実現するために進められるべき北朝鮮との和解と協力という統一と安保に関する希望的観測が重なり、構想は繰り返し官民で取りあげられてきた。文在寅政権に入ってからも北朝鮮との対話過程でふたたび核心的なイシューとして提起され、話題になった。

＊44　**孝行観光**　原文では「考道観光」。考道、すなわち親孝行の意味で、子供たちが親にプレゼントする旅行。この本の脈絡においては、元避難民など北朝鮮に縁故を持つ親に、北朝鮮を眺めたり類似訪問体験を楽しむことができる丹東旅行をプレゼントすることを意味する。

＊45　**開かれた北韓通信**　民間の対北朝鮮放送として、統一問題に関する政治的主張を北朝鮮住民に向けて放送してきた「開かれた北韓放送」が、二〇〇九年から発刊してきた北朝鮮専門情報誌。

＊46　**対北水害支援物資**　支援は、一九九五年の水害に際し北朝鮮が初めて国際機関に支援を要請して実施され、二〇〇五年~二〇〇七年、一〇年~一二年と、順次実施されたり構想された。ただ、スパイ侵入事件や各種の交戦事件など北朝鮮との武力対立が生じたり、支援条件に対する送り手側と受け手側の不一致、民間支援の制度的不十分などの内外におけるマイナス要件によって、中断または

取り消しになることを繰り返してきた。コメ問題がそうであるように、送る物資の戦略資源としての価値とその支給の是非も、重要な論争の種になった。

*47 **東大門印** 百貨店ではなく、在来の物流市場である「東大門市場」で販売されるような、商標がハッキリしなかったり初めからないような衣類や生活用品を、一流ブランドの商品になぞらえて「東大門印」の付いた商品と称する冗談。

*48 **韓服** 一例として、日本でも知られるチマ・チョゴリに象徴されるような、民族社会在来の伝統衣装に対する韓国系社会における総称。

*49 **5・24対北制裁措置** 二〇一〇年三月の天安艦沈没事件が北朝鮮の魚雷攻撃によるものであることを結論づけながら、当時の李明博政権が行政命令、すなわち国民に向けた声明という形式で下した対北朝鮮制裁措置。①北韓船舶の韓国側海域運航の全面不許可、②南北交易の中断、③国民の訪朝不許可、④対北新規投資禁止、⑤対北支援事業の原則的保留で構成される。

第四章原註

(25) イ・チャヌ［이찬우］（一九九九）、李哲［이철］（二〇〇六）

(26) 林秀虎［임수호］（二〇一〇）二七～二九頁

(27) 『時事ジャーナル［시사저널］』二〇一一年一月六日付「中国、北朝鮮経済接収の速度を上げる［중국, 북한 경제 접수 속도 내다］」

(28) 『韓国経済［한국경제］』二〇一一年一月五日付「北朝鮮にも韓流熱風…オール・イン、冬のソナタ、人気のうちに流通［북한도 한류 열풍… 올인, 겨울 연가 인기리 유통］」

(29) 『ニュース・ワイヤー［뉴스와이어］』二〇一一年一月六日付「関税庁、さる一〇年間の輸出入成果と二〇一〇年輸出入七大キーワード発表［관세청, 지난 10년간 수출입 성과와 2010년 수출입 7대 키워드 발표］」のなかで「香港など第三国経由輸出実績まで含めた場合、実際に中国の比重は三〇パーセントを越えるものと予想。韓中税関当局の間の貿易統計調整会議開催結果（一〇・四）。二〇〇九年中、第三国を経由し中国に輸出された金額は二二八億ドルに達するものと明らかに」

(30) MBC〈PD手帳［PD수첩］〉二〇一一年二月十五日付「岐路に立つ中韓外交［기로에 선 한중 외교］」

(31) これに関連して、呉承烈［오승렬］（二〇一〇：七〜八頁）は、中国側の税関統計を根拠にした中朝貿易収支統計の曖昧さ、各種制度上の灰色地帯が存在する中国に国境貿易を考慮する際、少なくとも外形上の貿易収支が北朝鮮と中国の貿易関係を正確に反映していると見るのは難しいと分析する。また、李鍾雲［이종운］（二〇〇九：七〜八頁）は、中朝関係は中朝国境地域で慣行化された多様な非公式的取引方式を考慮する時、中朝交易規模は公式的な統計よりもずっと大きいものと判断する。こうした条件の下、実質的な中朝貿易のうち、とくに辺境（国境）貿易の規模は、統計値の二倍を上回るものという指摘も現れる（ソン・スユン［손수윤］（二〇〇七）三六頁）。

(32) 金光億［김광억］（二〇〇八）

(33) 李熙範［이희범］（二〇〇七）一頁

(34) イ・ジェホ［이재호］（二〇一〇）三四頁

(35) ソン・スユン［손수윤］（二〇〇七）一二頁

(36) イ・ソッキ［이석기］（二〇〇六）五二〜五三頁

(37) 張慶燮［장경섭］（二〇〇八）六二頁
(38)『時事ジャーナル［시사저널］』二〇一〇年六月一六日付「パニック状態に陥った対北貿易［패닉 상태에 빠진 대북 무역］」
(39)『聯合ニュース［연합뉴스］』二〇一一年五月一一日付「日本警察、北からの衣類偽装輸入で五名逮捕［日경찰、北에서 의류 위장수입 5명 체포］」

第五章

中朝国境のふたつのコード、境界あるいは共有

境界――鴨緑江と中朝国境に向けられる先入観

韓国社会で（丹東に関連して）鴨緑江といえば思い浮かぶイメージには、何があるだろうか？ まず李成桂[*50]が軍勢の踵を返したところとしてよく知られた威化島が、丹東と新義州の間の鴨緑江にある。朴趾源[*51]は『熱河日記』で、鴨緑江を渡っていわゆる清国の辺境（国境）と見なされた柵門へと向かう一六〇里の旅程を描写した[(40)]。日本帝国主義の支配下あった時代に孫基禎[*52]選手は、新義州から鴨緑江断橋を経て丹東までの通勤の道を歩いて通ったこともあったというが、これは自ずとマラソンの練習になったという有名な逸話がある。また李彌勒[*53]の小説『鴨緑江は流れる』は、二〇〇八年にSBSドラマとしても放映された。このように鴨緑江は、人びとが河の両岸を往来するところで

あった。

しかしながら韓国社会における鴨緑江に対する強烈な認識は、朝鮮戦争当時、米軍による鴨緑江の橋梁爆撃の痕ででこぼこになってしまった途切れた橋の映った写真一枚、そして教科書の地図に見られるように一本の線で表示された、渡ることのできない国境のイメージとして刻印されている。(41) 丹東を訪問する韓国の観光客は、現在の鴨緑江を眺めながら、威化島、『熱河日記』、孫基禎などを思い浮かべても、結局はもうひとつの超えられない国境、すなわち休戦ラインのイメージを胸に刻んだまま帰っていく。

丹東を訪れる韓国の観光客は、鴨緑江断橋の上で一種のパフォーマンスをする。河の中央が国境だという観光ガイドの案内とともに、国境の形態をひとつの線として認識する彼らは、橋の中間を過ぎる瞬間に国境を飛び越しながら写真を撮る。その瞬間、鴨緑江の中心は一本の線で描かれ、そこがまさに国境となる。

ところが鴨緑江の中央が国境であるというのは、観光ガイドのイベント演出のための歪められた説明と、国境条約の特徴を知らない韓国の観光客の状況が重なって現れた現象だ。(42) その結果、観光客は鴨緑江の幅全体を圧縮されたひとつの線と考える通念を強化したまま韓国に帰る。しかしながら中朝国境条約によって鴨緑江はそれ自体が国境であり、かつ北朝鮮と中国の共有地域になっている。

共有——中朝国境は障壁ではない

中朝国境は一九六二年一〇月、両国家が非公開形式で締結したものとして知られる「国境条約」と「国境問題合意書」、そして一九六四年三月に作成された国境に関する「議定書」に根拠を置いている。[51] 北朝鮮と中国の国境条約において私が注目する内容は、鴨緑江の共有（共同管理ならびに使用）、境界の立て札（팻말）、島と砂洲などである。これらの単語が含意しているのは、国境がかならず線であるという先入観とは異なり、国境と関連した鴨緑江の特色が現れる要素だという点である。北朝鮮と中国は、鴨緑江を共有ならびに共同管理しており、両国の人びとは鴨緑江の特性を活用する。これは国境によって両国の国境地域が分けられるばかりでなく、両者が共有する部分もあることを意味する。

丹東市内を中心に例を挙げるとすれば、鴨緑江には密輸に利用される船ばかりでなく、北朝鮮と中国の砂礫採取船・遊覧船・巡視船・漁船・貨物船などが共存する。二〇〇六年以前には、国境の表示のかわりに鴨緑江という単語が刻まれた碑石が、丹東市内の観光地にあった。砂州は国境が固定されたものではなく、絶えず変わりうることを意味する。鴨緑江の分流が流れない国境地域が存在することで、国境を区分するのが難しい場合もある。北朝鮮の黄金坪という島には、中朝国境地域に横たわる細流が流れる。二〇〇六年以前、ここには国境を表示する何物も目撃されなかった。

中朝国境条約の内容と国境地域の地理的特性は、鴨緑江を間にはさんで生きてきた両国の人びとの人生に影響を与えた。近代国家間の国境を通じた人びとの交流において要求されるパスポート、あるいはビザという公式的な枠組だけが中朝国境地域にあるのではない。時代別の利害関係にともなう北朝鮮と中国の間の交流の断絶を始めとして、両国の関門と思われる公式空間（税関または中朝友誼橋）ではないところに形成された中朝国境地域の文化を、もっと伺ってみる必要があるだろう。

▼サプリメント・2▲　中朝国境条約についての韓国の見方

一九六〇年代に締結された中朝国境条約について、イ・ヒョンジョは「北韓（北朝鮮）と中国が国連事務局に登録せず、公式的にその実態を認めずにいるが、両国当局によって施行されている。中国の国際法教科書は、中国が北韓を含め十二カ国と国境条約を締結し、国境問題を解決した」と説明する。(43) 一方で、中朝国境条約についての問題意識を提起する際、韓国の研究者たちは、間島協約*54あるいは朝鮮と明の領土紛争に関する論争から説き起こす。この時、韓国研究者たちの見方において鴨緑江と関連した歴史がこぼれ落ちることはない。

二〇〇四年九月三日、韓国の与野党議員五九名の発議で「間島協約無効決議案」が国会に提出された。それ以降も、韓国社会には間島協約無効とともに、失われた国土の回復を叫ぶ声が存在する。根拠は、大韓帝国の外交権を奪った日本が、間島協約で間島を譲り渡したというものだ。これを通じて日本と清国の間に締結された協約であることから、国際法上無効あるいは再論の余地があると併せて主張する。[44] 間島は歴史的に韓国の領土であるというのだ。[45] また他方では、朝鮮と明国の国境線は鴨緑江ではありえないと主張する。[46] あるいは高麗と朝鮮、そして明国と清国の時代に、鴨緑江と豆満江以北は無人地帯・緩衝地帯・非武装地帯・漸移地帯・空閑地帯であったことに言及する。[47] また豆満江と鴨緑江を国境であると規定するのは、一九〇九年、日本が不法にも清とのいわゆる間島協約を締結した結果であると述べることもある。[48][49] こうした理解を前提として、韓国の研究者たちは現在の中朝国境条約は自動的に無効という論理を展開する。

しかしながら韓国社会の歴史論争とは別途に、中国朝鮮族の研究者である金春善は一九〇九年に締結された間島協約は、結果的に以前の朝鮮と清の領土紛争を一段落させたという見解を明らかにする。[50] 一方で、以前のすべての国境関連文献は効力を喪失したものと規定する、一九六〇年代初頭に北朝鮮と中国の結んだ国境条約が、現在、中朝国境の大きな枠であり基礎であるというのが現実である。

「登岸はしたけれども、越境はしなかった」

鴨緑江のすぐ傍に朝鮮族の学校があった一九九〇年代初頭、朝鮮族の学生らは向こう岸の新義州の岸辺まで泳いだ。往時を回想する四〇代のある朝鮮族はつまびらかに語りはしなかったが、新義州の水辺を離れることのない生活であったという。幼い頃、新義州に住んでいた三〇代の北朝鮮華僑は、水泳をしていると丹東の外祖父が船でやってきて、自分にアイスクリームをくれた思い出を語った。とりわけ夏になると、鴨緑江で水泳する人びとが丹東と新義州の両岸で容易に目撃された。丹東の人は、「鴨緑江にスキューバ・ダイバーがいたと想像してみろ」と言ったり、「水中で両側の人は会うことができる」と冗談を言ったりした。

中国側の遊覧船は、新義州の川岸に最大限接近して運行する。北朝鮮の国旗がはためく砂利採取船は新義州よりは丹東の川岸に近いところに陣取り、川底の砂を汲みあげる。こうした風景がありうるわけは、鴨緑江が両国の共有地域であるという中朝国境条約の規定があるからだ。

丹東の人は、上の行為が可能な理由について、もうすこし具体的に説明する。彼らの説明によると、両国家は鴨緑江越しに新義州（丹東）に足を下ろしても、船から手を離しさえしなければ国境を侵犯しなかったと考える。これはあらためて、「登岸はしたけれども、越境はしなかった」という言葉に整理される。この表現は鴨緑江で人びとができる行為を含蓄している。すなわち丹東と新

北朝鮮の川岸に停泊した中国の船。船から人が降りさえしなければ、国境条約によってこうした行為は不法ではない。これをもって丹東の人びとは「登岸はしたけれども、越境はしなかった」と表現する。

鴨緑江大路という道路が建設されて、朝鮮戦争当時の中国軍の鴨緑江渡河の場所が観光地として生まれ変わった。

義州の間には両国家の国境があり、両側の岸辺に立っても会話のできない鴨緑江の川幅があるが、彼らはこれをものともせずに交流していることを意味する。

　このフレーズは、鴨緑江で繰り広げられる交流と共有の文化の可能性だけを語るものではない。丹東の人と新義州の人は、これを積極的に活用して鴨緑江での暮らしを営んでいる。彼らにとって鴨緑江は、両国家を結ぶ経済的な生活手段となっている。丹東の人の生活領域は、国境によって制限されたり断絶されるものではなく、国境越しに北朝鮮人と交流し共有するものであるといえる。

一方、丹東の人は鴨緑江が中朝共同水域であるため、洪水になった場合に川幅が広がる現象をたとえて、「鴨緑江には国境はない」と語る。この言葉は鴨緑江は確かに国境だが、交流を妨害する意味での国境ではないことを含んでいる。鴨緑江は、両国を結ぶ通路であり共有地域の性格が強いためである。言い換えれば丹東と新義州には国境があるが、国境という存在が彼らの日常において制約として作用しないことを物語る。

（国境）条約からわかる通り、洪水になれば丹東と新義州も鴨緑江になる状況を想像してみてください。こうした場合、丹東の人が新義州市内に船に乗って行っても、越境ではありません。真冬の鴨緑江が凍る時、鴨緑江では漢族と朝鮮（北朝鮮）の人びとが通る道がひとつです。だから、夏には河の水かさが増し、日照りの時は水かさが減りますが、その時ごとに国境線が変わります。私も幼い時に水辺に出てよく遊びましたが、朝鮮側の陸に行きさえしなければ、何ら問題はありません。冬に凍結すれば、こっちの子どもとあっちの子どもが一かたまりになってソリに乗ったり、食べ物を分けあって食べました。一九六〇年代と一九七〇年代、漢族と朝鮮族が食料を求めて鴨緑江を行き来したものです。そして今（二〇〇七年）も、こうした姿

鴨緑江にある島は、大部分北朝鮮の島であるのに対し、月亮島はいくつもない中国の島を代表する。

には大きな変化がありません

一九五五年、丹東出生の朝鮮族（男）。

北朝鮮と韓国を結ぶ事業家

丹東の人は中朝国境を「国家間に人為的に引かれた線に過ぎない。我われは隣人と友人として過ごす」と語る。こうした日常的な交流について、北朝鮮と中国両者が国家の次元で厳格に管理することはない。国家の視線は、彼らの出会いと交流を非公式的あるいは不法の物差しで測る。しかし彼らにとって、出会いと交流は国家の物差しを離れた、日常の一部分である。

しかし二〇〇〇年代になって、鴨緑江は共有地域からいまや境界（断絶または分離）と関連した現象がだんだん色濃くなる国境

【メモ・05】抗美《(米)》援朝記念館

丹東は抗美援朝戦争の中心地であり、中国が守り抜いた国境都市である。そして抗美援朝戦争についての中国の歴史意識が具体的に表現されたところが、丹東の抗美援朝記念館である。丹東は中国最大の国境都市として知られるが、「英雄都市」という別称もまた持っている。この記念館で抗美援朝戦争に対する中国の立場と、丹東を再構成しようとする中国の意図と努力を伺うことができる。抗美援朝記念館は、国境地域である丹東市内と国境越しの新義州の全景、そして中朝国境の象徴である鴨緑江がひと目に見通せる位置に座を占めている。抗美援朝記念館は一九五八年に初めて建てられ、停戦協定が締結された一九五三年を忘れまいという意味で、五三メートルの高さで作られた記念塔が建てられている。停戦署名四〇周年であった、さる一九九三年七月二七日に拡張工事竣工記念式を執りおこないもした。記念式を主管した人物が「当時（一九九三年）、中国共産党政治局常務委員であった胡錦濤現国家主席である」という話は、丹東の人びとが抗美援朝記念館の位相を述べるとき、かならず言及することだ。

へと変化している。彼らが共有する生活には影響が及んでいないものの、境界すなわち国境を区分する要素と現象が増えている。こうした条件のもとで暮らす丹東の人びとは、国境構築が強化される現象を目撃する。同時に国境を彼らの生活手段として活用している。前者が全国愛国主義教育示範基地[*55]と関連しているとすれば、後者はもうひとつの国境の姿から窺い知ることができる。

国境を築く方法——戦争の歴史を利用する

韓国人が看過する丹東の特徴がひとつある。これはまさに鴨緑江断橋の観光地の壁面に刻まれた「全国愛国主義教育示範基地」という文言だ。この文言は、中国人にとっては観光コースとしてかならず取り込まねばならない理由のひとつとなるが、韓国人はそれほど注目せずに通り過ぎてしまうものだ。この内容は、中国の過去・現在の国境（辺境）と関連した丹東の建築物と結びついている。丹東には韓国人の観光コースに含まれない、抗美《※》援朝記念館がある。もうひとつは、韓国人に単に中国の歴史歪曲の現場と認識される記念物がある。そこは中国において、虎山長城であり万里の長城として知られている。

併せて、ひとつの建造物について中国人と韓国人の間に同床異夢の現象を見せる歴史的建造物が、鴨緑河の川べりの丹東国境地域に位置している。ずばり鴨緑江断橋である。これらを通じ、丹東は中国において全国愛国主義教育の示範基地としての位置を占めようとしているのだ。

たとえば二〇〇七年、丹東の姿を紹介する冊子の最初の一行は、つねに「丹東は万里の長城の東端の起点である」という表現で始められる。虎山長城を紹介する現地の冊子を見れば、万里の長城という叙述とともに現在の国境を強調する部分は抜け落ちない。丹東の主要観光地から北朝鮮あるいは新義州を見ることができることを強調するように、虎山長城は歴史記念物であり、かつ国境越

【メモ・06】虎山長城あるいは万里の長城：中国の歴史づくりの現場

中国の東北工程*56が単純に歴史論争の場ではない現実において目撃される場所が、丹東の虎山長城である。虎山長城は丹東市内から約一二キロメートル離れた鴨緑江の川岸に位置しており、河を間に挟んで北朝鮮の於赤島と義州郡を展望している。中国は虎山長城が万里の長城の東端の起点であると主張する反面、韓国は中国の立場を歴史歪曲であると反駁しながら、そこは元来韓国の歴史である高句麗の「泊灼城《バクジャクソン》」*57であると強調する。一方で二〇〇七年、丹東の人に「虎山長城が万里の長城なのか？」と質問をすると、虎山長城の変化過程を見守ってきた三〇代以上の丹東の人は、ただ笑ってごまかす。しかし二〇代以下の場合には、虎山長城を躊躇うことなく「中国の万里の長城だ」と語る。中国の歴史教科書は、ここを万里の長城であると記録しており、そのように学生たちは習っている。一方、二〇〇八年に訪問した北京の万里の長城前の記念館で見た写真帳でも、あるものは山海関を、別のものは虎山長城を、万里の長城の東端の起点として明示していた。これを歴史づくりという観点から見るならば、まず中国当局がいくつかの層位において虎山長城に対する社会的記憶を統制していることがわかる。

しの異国的な風景としての北朝鮮を眺望できる最適の場所であることが強調される。北朝鮮と関連して国境に言及する内容が中心となるなかで、現在の中朝国境と国境越しの異国の国境地域を感じることができるという点が浮き彫りにされるのだ。

　このように、過去の辺境と現在の国境が虎山長城に埋め込まれている。丹東は中国の歴史における辺境の象徴物である万里の長城と、現在の中国領土のはずれである中朝国境が結合されるところだ。このため中国の歴史のなかでの辺境拡大と、今日の国境認識強化の効果が現れる。虎山長城は、中国人に新しい記憶を作ってやるばかりでなく、過去と現在の辺境および国境に対する中国の立場について正統性を与える文化資源の役割を果たす。虎山長城は、中国の歴史づくりと国境づくりの現象が引き続き展開されるところである。

もうひとつの境界イメージ——鉄条網・鴨緑江大路・高層マンション

二〇〇八年、白頭山天池《ペクトゥサンチョンジ》の丘の北朝鮮と中国との国境を分ける境界の標識は、「禁止越境 Don't cross the border illegally」と明示された大人の膝の高さの木柱であった。これらを結ぶのは、細長い何筋かのロープである。中朝辺境という小さい碑石とともに、この線だけそこが国境付近であることを思い起こさせてくれた。

一方、二〇〇六年以前、丹東には国境を象徴する鉄条網や障壁がなかった。中国国境の境界の立て札は、丹東市内では人びとの目には触れなかった。ただし、めずらしく設置された「中朝邊境」の文字の書かれた石碑だけが、国境地域の位置を知ることのできる状況を演出した。

しかし、二〇〇六年に鴨緑江大路が貫通して、朝鮮戦争当時の中国軍が鴨緑江を渡河した場所が観光地として整備され始めた。そこには以前、鴨緑江で洗濯をするためにおばさんたちが利用した小径だけがあった。二〇〇九年、鴨緑江横断橋周辺には中朝国境の公式的な境界表示板の形式を帯びた碑石が立てられ、(※)抗美援朝戦争の英雄である空軍の銅像が見られるようになった。すなわち国境と関連した要素が、鴨緑江公園に表現されているのだ。

丹東のこうした変化は、二〇〇六年を起点として現れた。丹東の人は自分たちの暮らしている場所が国境地域であることを認識させる風景を目にしている。この時期に丹東の鴨緑江の川岸に、鉄条網が登場し始めた。当初設置された鉄条網は、鴨緑江の特殊な地形のために中朝国境という区分けがしづらいところに立てられた。脱北者防止のためのものと報道される韓国メディアの内容と異なり、鉄条網設置は両国民の交流を押さえるための目的よりも、中国の領土の果てを人びとに知らせるための目的がより大きい。

後から鉄条網だけでなく、国境を象徴する要素が加えられながら、人びとが国境で分けられると認識できなかったところや北朝鮮人に出会えた地域が、次第に両国民が出会えない国境地域へと変わっている。鴨緑江大路が開通したのち、鴨緑江の川岸に沿って作られたことから、北朝鮮と中国の領土を自然に区分する道路の位置と、そこにおける人びとの行動、そして鉄条網と行為禁止案内板が与える意味が重なりあいながら、意図しようが意図しまいが鴨緑江大路は人びとが国境を確認

虎山長城の頂上からは、義州を眺望できる。『熱河日記』の朴趾源先生は、ここで鴨緑江を越えたものと知られている。

する空間となっている。

鴨緑江大路には鉄条網だけがあるのではない。丹東市内と丹東新市街地の鴨緑江大路には高層マンションが連なり、鉄条網が担当してきた境界の意味を代行している。このように鴨緑江大路と高層マンションは、中朝国境に境界の意味を付け加える。この道路は、丹東市内の中心に位置した鴨緑江断橋のある鴨緑江公園に向かい、虎山長城へと続く。それ以降も鴨緑江大路は鴨緑江上流側へと終わりなく建設されている。中国の豆満江の川岸にもこれらの道路は開通している。ところどころ斜面のきつい岸辺に造成中の鴨緑江大路は、一〇メートル程度の人口絶壁の上を走る。これを取りあげて韓国の放送は、中国が脱北者の取り締まりのために障壁を設置していると報道する。(52) 同河川から丹東市内、そして虎山長城まで、鴨緑江大路の長さは約六二キロメートルで、二〇〇七年、鉄条網のある距離は六キロメートル程度であった。しかし、道路に沿って鉄条網は次第に伸びている。

一歩跨《イーブークァ》、出会いの場所から国境体験の空間へ

二〇一〇年を前後して、丹東の中朝国境は閉ざされた国境という認識が強まっている。こうした状況は、丹東の他の国境地域においても目撃される。そこでは鉄条網だけではなく、鴨緑江の地形を利用した国境観光という要素が目立つ。丹東でもっとも代表的な場所は、「一歩跨」という地名で呼ばれるところだ。二〇〇七年以前に、丹東の韓国人は往々にしてここを説明する時、映画『共同警備区域JSA』のセリフを引用した。すなわち「統一の水門」を開くことを経験できる場所ということだ。

二〇〇五年前後だけでも、ここは丹東市内に近いところ（一二キロメートル）に位置しており、船を利用しなくても国境を越えて北朝鮮の地に行くことのできる地域のうちのひとつであったので、丹東の人がよく訪れたところであった。こうした理由から、北朝鮮をもうすこし近くから見ようと

観光客らはボートに乗って行ってみると、鴨緑江の両側が北朝鮮の土地となっているところに出会うことになる。

する韓国人も、ここをたくさん訪れた。

一歩跨は、韓国人が北朝鮮兵士・北朝鮮住民と短い談笑を交わしたという武勇伝が作られた場所でもあった。その当時、ここには飛び石の橋があり、一歩跨という文字通り北朝鮮の地へ一歩踏み越えて戻ることのできる体験ができる場所であり、丹東の人と北朝鮮人の間の交流の場として利用された。ところが人びとの訪問が増え、二〇〇五年前後、虎上長城が観光地として活性化されるのと平行して、飛び石の橋はなくなり一歩跨での経験は変化した。中朝国境地域で人生の根拠地を開削している人びとにとって日常的な交流空間であったここは、国境往来を特徴とする国境観光地の色あいが深まった。二〇〇五年「咫尺《ヂーチー》」という石碑とともに、ここを一歩越えることができるという意味のこもった、一歩跨という石碑も生まれた。

二〇〇七年前後、遊覧船を利用して北朝鮮の地に接岸して北朝鮮軍人と出会える国境観光は、観光客を相手に営業中であった。一歩跨の石碑周辺では、観光客が義州平野を見ることのできる望遠鏡が設置されており、記念写真撮影ができるよう用意された韓服が、中国の観光

中国と北朝鮮が鴨緑江を共有するという事実を知らない観光客らは、一瞬、国境を越えて北朝鮮地域に自分たちが入ってしまったと考えて慌てる。

客を待っている。簡易売店では観光客が船に乗って国境体験を終える前に、煙草の購入を勧めるところであった。

　まず、丹東から鴨緑江の川岸を跨いで新たに建設された、いわゆる国境道路に沿って車で二〇分ほど走る。彼らは中国側で万里の長城の東端の起点と主張する、虎山長城に到着する。彼らは中国の観光客と異なるコースをまず選択する。理由は「ニセの万里の長城を見る理由がない」ということ、そして案内をする丹東の韓国人の「もっといいところを見せてあげる」という勧誘があるからだ。韓国の観光客は歩いて五分の距離にある、虎山長城の脇の一歩跨へと直行する。そこで彼らは「船に乗りますか?」あるいは「煙草いかがですか?」など、基本的なコリア語のわかる中国商人に出会うことになる。案内を受け持つ丹東居住の韓国人は、以前に煙草を買わずに北朝鮮人に金を与えていたところ、中国の公安にひどい目にあった経験を韓国の観光客に語る。中国人が公安に告発したというのだ。そして中国の煙草を買うことを観光客に勧める。「北韓（北朝鮮）を非常に近くから見ることができる」「北韓の軍人に会うことができる」などのあらましを到着前に聞くが、韓国の観光客はいまだに一～二メートルの小川越しに北朝鮮の地があることを実感できない。往復で二〇分かかる渡し船に乗る前、韓国の観光客が北朝鮮を背景に写真を撮り始めると、中国の公安に制止され慌て始める。ところが中国の公安は、中国観光客が北朝鮮の風景を写真に収める時はよそ見をする。韓国の観光客がそこで購入した中国の煙草の包装を開けようとした瞬間、いきなり横で

「ちゃんとしてください」という下手なコリア語が聞こえてくる。同行した丹東の韓国人が「北韓（北朝鮮）軍人に与えた煙草を、おそらく北韓人たちがまたここに持ってきて金に変えていくという話がある」と述べると、韓国の観光客は頷く。

渡し舟に乗った韓国の観光客は、鴨緑江の水に手をつけては多少興奮した様子を見せる。そして観光客らは渡し舟が狭い鴨緑江の支流の真ん中に差し掛かると見え始める虎上長城の麓の中国側鉄条網を見て、自分が「今、国境を越えた」と語る。彼らは丹東に居住する韓国人から「最大限、危険な行動をするな」「韓国語を喋るな」という言葉をずっと聞き、表情が次第に硬くなる。続いて北朝鮮側の鉄条網と北朝鮮の哨所が見え、目に見えない軍人たちが銃を持ち、岸辺近くに接近する本人たちに近づいてくる姿を目撃する。彼らはひとまず喋りはしない。渡し舟を動かしていた中国人がそのまま岸辺に船を停泊し、準備した煙草を砂の上に放りあげると「どこから来た、あの人たちはどこの人だ」「中国人だ」「うそつけ。朝鮮語ができたのに」などの会話を北朝鮮の軍人たちと交わす。韓国の観光客は写真を撮る気さえ起こせない。しばし止まった船がふたたび方向を変えて出発地に向かう。ようやく心の平安を回復した韓国の観光客は、非常に近くで目撃した北朝鮮軍人の姿について言及しながら、各自の感想を韓国語で大声で喋り始める。戻ってきた彼らは堤防に設置された望遠鏡を通して、義州平野と北朝鮮住民が働く姿を見ることになる。ところが、もう一度写真撮影を始める韓国の観光客の行動を、今度は誰も制止しない。観光客たちは北朝鮮軍人に煙草を与えた行為をとって「国家保安法[*58]に引っかかる」「いや、体に害のある煙草を与えたから、あっちの軍事力の弱化に寄与したんだ。大丈夫」と冗談を交わしながら、一歩跨を去る。

このように観光地としての一歩跨は、一歩跨という言葉が意味するように国境の往来が可能な空間から、今や越えられない国境を体験して確認することがより強調される場所となった。もういちど整理すると、一歩跨は中朝国境条約上の鴨緑江を共有するという内容を体験し、中国の船が北朝鮮の地に接岸しても不法ではないということを確認できる場所だ。あわせて両岸に鉄条網が設置されたために、国境を越える感覚と同時に国境そのものを確認できるところであり、事前に約束したり既存の慣例に従って中国の船頭が北朝鮮軍人にお土産を渡す姿を目撃できる、国境観光地なのだ。

国境観光コースの開発現場と「舞台化された風景」

中国観光客が北朝鮮地域を観光するコースがひとつある。二〇〇七年の基準で韓国のお金で一万ウォン未満を与える場合、太平湾ダム[*60]を通じて北朝鮮の地に入り北朝鮮軍人の前で写真を撮ることができる。しかし太平湾発電所およびダムでは、中国側から電気とダム施設を管理する。考えて

鉄条網がなかった頃、丹東の人と北朝鮮人が自然に川を挟んで出会う場所として愛された一歩跨

我われが想像する国境表示は鉄条網であるが、白頭山天池*59の国境表示は写真矢印部分に張られているロープ状のものだ

みると、この場所の向かい側は北朝鮮の領土だが、中国で賃貸使用する治外法権地域であるから、合法的な手続きに従って北朝鮮に入国せずに北朝鮮の地を踏んでみることのできる、唯一の地域ということになる。このような国境観光は擬似(pseudo)観光の形態であるが[53]、中朝国境の多様な変数および特徴を知らない中国の観光客に、本人が国境を越え外国の地を踏んだという経験を抱かせてくれる。

　この観光コースは事実と異なり、韓国の観光客は行くことのできないところとして宣伝され

中国愛国主義の示範基地の土台である、抗美援朝記念館内部

ている。しかしながら二〇一一年、韓国の観光客も中国の観光客同様に擬似国境越え経験が可能な観光地が、鴨緑江に新たに作られた。ここは遊覧船に乗って北朝鮮の女性兵士部隊の兵営を見ることができると宣伝されるところだ。ここで韓国の観光客は中朝国境を越えたと信じることになる経験をする。

　観光客はまず鴨緑江大路脇の鉄条網を越え、川岸にある船着場に降りて行く。ボートに搭乗すると、朝鮮族の観光ガイドは韓国の観光客に「今からみなさんは国境を越える経験をなさるでしょう」と案内する。その瞬間、ボートは一歩跨よりも上流に位置した鴨緑江の川岸へと出発する。速度を出し始めたボートはあっという間に北朝鮮

今日、中国の抗美援朝戦争と関連した観光地に活用されている、鴨緑江断橋の入り口

側の川岸に接近する。北朝鮮人たちが川岸に出て来ている姿をわずか一〇メートル内外の距離に見た韓国の観光客は、自らが国境の近くに来ていると考える。五分間そのように走ったボートは、方向転換して来たところへと向かう。ところが中国の地と予想した彼らは、陸地に北朝鮮人がまた見えるのを見て慌てる。この時、朝鮮族のガイドは「皆さんは今、国境を越えて北朝鮮の領土に入ってきています。北朝鮮側と契約をしましたので心配しないでください。韓国語を話しさえしなければ問題ありません」と述べる。

こうした場面は、虎山長城の横の一歩跨の渡し舟が一定部分担っていた。しかし一歩跨の遊覧船は、両岸に鉄条網が作られて

【メモ・07】鴨緑江断橋

鴨緑江断橋は清国と日本の協定によって、日本が一九一一年に建設した橋だ。この橋は一九五〇年、米国の空襲によって北朝鮮側の橋梁の二分の一が破壊されたのち、中国の単独所有となった。観光地として開発された時期は一九九四年である。抗美※援朝記念館と同様に、この橋は全国愛国主義教育示範基地であり、「紅色旅行地[*61]」の役割をしている。一方、鴨緑江断橋は清国と関連した中国の歴史よりは、抗美援朝戦争を記憶する方において積極的に活用されている。日本によって建設されたという短い文句のほかに、鴨緑江断橋では戦争と関連した写真を展示し、人民軍の銅像があしらわれている。橋の入口から終わりまで二メートル間隔で掛かっている記録写真と解説は、中国が朝鮮戦争に参戦した背景、米国の爆撃の様相、鴨緑江鉄橋（現・鴨緑江断橋）爆撃当時の写真とともに、額縁のかたちで掛かっている。二〇一一年から、ここでは戦争と関連した映像も見せている。断ち切られた橋の終端に到達すると、中朝辺境を表示した小さな石碑と爆撃の残骸に出会うことになる。

国境越え体験の性格が減少した。こうしたなかで丹東の人は、一歩跨観光地の特徴を代替しうる観光地を作ったのだ。一歩跨にくらべて、ここは鴨緑江の両岸が北朝鮮の地になっているという観光コース上の特徴を持っている。

一方、韓国の観光客がこの観光コースで体験した国境越えは事実ではない。実は中朝国境条約によって、多数の島が北朝鮮所有であり、鴨緑江は線で国境が分けられたところではなく、共同区域だ。すなわち、中朝国境の特徴を韓国の観光客が性格に認識できないでいることを、観光ガイドが利用したのだ。結果的に、「韓国語を話しさえしなければ問題ありません」というガイドの最後の言葉は、韓国の観光客をして中朝国境を出入りの許されない境界として認識させるように働く。[54] その結果、丹東の国境観光地は、鉄条網のない国境地域に両国家を区分する国境の役割を果たしている。さらに境界の性格も、持続的に追加されているところだ。二〇一二年、丹東で国境の象徴物として位置づけられた、万里の長城を形象化した碑石が鴨緑江大路の鉄条網に沿ってあちこちに立てられた。中朝国境の境界の立て札とともに、「歴史的境界」が現在の中朝国境の象徴物として利用されているのだ。

第五章訳注

＊50 **李成桂** 後日、朝鮮の初代王・太祖になった高麗後期の武臣。その彼が高麗で実権を掌握するようになったきっかけが、王命を受けて明に抵抗するために軍勢を率いて出発したにもかかわらず（遼東征伐）、鴨緑江・威化島に達すると軍を翻して反乱を起こした、いわゆる「威化島回軍」である。

＊51 **朴趾源** 朝鮮後期の文官であり実学者でもあり、小説家としても認識される。清訪問の機会を得て訪問した中で清の先進性に目覚め、その後、「利用厚生」（必要なものの活用を通して、人びとの生活を豊かにする）の実学を推進する第一人者となった。紀行文『熱河日記』は鴨緑江を渡り遼東・北京を経て、皇帝が滞在していた熱河まで行って戻ってくる間に接した清の新文物を論じた本である。その網羅的で卓越した内容において、朝鮮時代の紀行文学を代表する地位を有している。

＊52 **孫基禎**　一九三六年八月、第一一回オリンピック夏期大会、いわゆるベルリン・オリンピックのマラソン競技において、当時のオリンピック公認新記録を打ちたてて優勝したマラソン選手。朝鮮が日本の植民地支配を受ける状況のもとで、彼は日本代表として出場せざるをえなかったが、彼の優勝を報じた『東亜日報』がその紙面において孫選手のユニフォーム上の日の丸を消して印刷し、事件になった。他方、彼自らも常に韓国人であることを明らかにし、韓国の名を広めるために努め、そのために日本から冷遇されもした。解放後は、後続世代の育成と体育界の要職に就いた。

＊53 **李彌勒**　小説家。一九一九年、3・1運動参加を理由に警察に手配されたことを契機にドイツに亡命し、講師などをして過ごした。一九四六年にドイツで発表した「鴨緑江は流れる（Der Yalu Fliesst）」は読者の好評と文壇の注目を集め、後日、ドイツの中学・高校の教科書にも収録され、韓国でも翻訳出版された。

＊54 **間島協約**　間島とは鴨緑江上流と豆満江北地域を指す言葉だが、その含意については相反する見解が存在する（原註（45）参照）。ただしおよそ延辺の朝鮮族自治州地域と重なる地域と見ることができる。この間島を舞台として、一七世紀初めから清と朝鮮の間には対立があり、両国の国境をめぐる相反する見解をもって争う状況にあった。そして間島協約は一九〇九年、当時大韓帝国を「保護国」化し外交権を掌握していた日本が、この問題をもって清と結んだ交渉である。日本が南満州鉄道の敷設権と撫順炭鉱の開発権承認を得る代わりに、国境問題において清国に譲歩した。この経緯のため、解放後、北朝鮮と新中国がそれぞれ成立した後、国境問題が再び浮上することになった。

＊55 **全国愛国主義教育示範基地**　一九九四年に制定された「愛国主義教育実施要綱」に基づき、一九九七年に政府・党青年組織・軍等の協議により決定された一〇〇カ所を、その皮切りとする。選択の

基準は、第一に中華民族の悠久の歴史文化を知らせるもの、第二に近代中国の受難としての帝国主義侵略とそれにともなう人民の反抗を知らせるもの、第三に中国人民の革命闘争と社会主義の建設を知らせるものとされている。

＊56 **東北工程**　正式には「東北辺境歴史与現象系列研究工程」といい、中国政府の承認の下、社会科学院と東北三省委員会が進めている研究計画である。南北統一の影響を受ける朝鮮族居住地域のナショナル・アイデンティティの動揺に備えるため、古朝鮮・高句麗・渤海などの歴史を中国地方政権史と位置づけるなど、その中国化を試みている。韓国政府は、これを日本政府による韓国史介入と合わせて「歴史歪曲」ないし歴史修正主義の試みと規定し、二〇〇六年に教育庁傘下に「北東アジア歴史財団」を創設し、研究や広報・啓蒙の役割を担わせることでこれに対抗している。

＊57 **泊灼城**　既述の虎山山城が歴史記述に照らし、また遺物の構造から見て、遼東半島から平壌城につながる交通路を防衛するために、高句麗によって建てられたとされる泊灼城に比定された。六四八年、唐の高句麗攻撃において、急峻な山上の泊灼城が防衛拠点として貢献したと記録されている。

＊58 **国家保安法**　一九四八年に制定された韓国の治安法。国家の安定を脅かす主体を「反国家団体」と規定し、その構成員、その指示を受けた者が団体の目的を遂行するためにおこなった行為を処罰の対象とすることを基本とする。また、その他この団体に係る自発的支援と金銭授受、潜入と脱走、鼓舞と賞賛、会合と通信、弁護の提供、職務遺棄、誣告・捏造といった周辺的行為も処罰するものとされている。この時「反国家団体」には北朝鮮政府を始め、朝鮮労働党・朝鮮総連などが含まれ、法律の脈略上、韓国国内の団体・個人もまた狙いを定めている。ところで以上見てわかるように、日本の治安維持法（一九二五年）に起源を持つ法律である。

＊59 **白頭山天池**　中国・吉林省と北朝鮮・両江道国境に位置するカルデラ湖。海抜二七四四メートル、面積は九・一六五平方キロメートル、最大水深は三八四メートルに達する。一九六二年、中朝辺境条約を締結されることで中朝の天池分割が成立し、北朝鮮五四・五パーセント、中国四五・五パーセントの割合で分けることになった。韓国古代史上、建国神話である「檀君神話」において檀君王倹が建てた古朝鮮の起源を太白山に置いており、これを白頭山と認識する。このことから韓民族社会ではこの地域を民族的な起源にまつわる聖地として見る認識が強い。また、北朝鮮では、白頭山一帯を抗日と革命の根拠地と見る別の認識から、同地域を神聖視している。

＊60 **太平湾ダム**　中国・遼寧省丹東市振安区太平湾街道と北朝鮮・平安北道朔州郡方山里の間の鴨緑江流域に、中朝合作で一九八七年に完工したダムおよび発電所。電力資源は両国が共有するが、建設を担い運営するのは中国である。ダムにより鴨緑江が堰き止められてできた水豊貯水池は、東北地方最大の人工湖であり、これを含む太平湾風景観光地区は重要観光地として中国では扱われている。

＊61 **紅色旅行地**　二〇〇四年、中国共産党と国務院が「紅色旅遊発展企画綱要」を発表したことで奨励され始めた旅行類型が「紅色旅游」（旅游は旅行を意味する）で、そのために推薦された地域が「紅色旅游地」だ。紅色旅游は革命的伝統教育の強化、青少年を始めとする愛国心涵養、民族精神の鼓吹育成という国民の民族主義的統合を図った理念的意図と、革命遺跡地の経済・社会的な調和・発展という実用的意図を基盤とする。この方針が示されたことで、全国で一二の「重点紅色旅遊構」、三〇のモデルコース、一〇〇大「紅色観光地」などを中心に、歴史遺産としての革命遺跡が再照明・整備・広報され、また旅客の誘引と当該地域の経済的発展が図られた。二〇一一年から二〇一五年までの全国の紅色観光地の観光客総動員数は一〇億二七〇〇万人であり、これは同時期の国内観光

客の四分の一に該当し、収入では二六一一億七四〇〇万ウォンに達したという。

第五章原註

（40）高美淑［고미숙］訳（二〇〇八）

（41）Anderson（1983）によれば、過去のいかなる形態の地図も、東南アジアの国境を表示しなかった。しかし、ヨーロッパ植民主義者たちが国境を企画した地図が、大量の印刷物を通じて普及しながら、東南アジア人の想像を膨らませ始めた。すなわち彼らは限定された領土空間として想像された国を認識し始めたのだ。

（42）KBS2〈一泊二日［一박二일］〉二〇〇八年七月八日放映分「白頭山を行く・第二弾［백두산을 가다 2탄］」。放送のなかでこんな言葉が出てくる。「川の中央が仮想の象徴的国境線、北韓（北朝鮮）の地を踏まなかったが、実際に象徴的な国境表示が川の中央となっています。鴨緑江の真ん中。この線を越えれば、象徴的に北韓の地に渡るのです。私たちは皆一緒に、越えてみましょう。象徴的に北韓の地に渡る境界を越えて、北韓側の領土へ」

（43）李鉉祚［이현조］（二〇〇七）

（44）朴宣泠［박선영］（二〇〇三a）

（45）間島は時代や国家によって設定される範囲も一定せず、名称についても多様な説がある。このなかで広義の次元で間島は鴨緑江と豆満江対岸の広大な地域を意味する（朴宣泠［박선영］（二〇〇四））。一方、林志弦［임지현］（二〇〇四：二七頁）は清と朝鮮の間に挟まった島という意味で、間島の名称の由来を説明する。そして中国側は、間島の位置を東経一二九度四六分三九秒～一二九度四六分

四九秒であり、北緯が四二度四五分四〇秒～四二度四五分四九秒であり、総面積が四万三八〇〇平方メートルの無人島と見做している（朴宣泠［박선영］（二〇〇五）二〇九頁）。

(46) ウン・ジョンテ［은정태］（二〇〇九）

(47) 南義鉉［남의현］（二〇〇八）

(48) 朴宣泠［박선영］（二〇〇三）、丘凡眞［구범진］（二〇〇九）、宋容德［송용덕］（二〇〇九）

(49) 盧啓鉉［노계현］（二〇〇一）

(50) 金春善［김춘선］（二〇〇二）

(51) 朴宣泠［박선영］（二〇〇五）、李鉉祚［이현조］（二〇〇七）、韓明燮［한명섭］（二〇一一）

(52) ＫＢＳ１〈時事企画［시사기획］〉二〇一〇年一二月七日放映分「三大世襲、彼らは脱北する［3대 세습、그들은 탈북한다］」

(53) Boorstin（1992）、パク・ジュンギュ［박준규］（二〇〇六）から再引用。

(54) 「朝鮮ドットコム［조선닷컴］」二〇一一年七月一九日付「議員一二名が越北？ 実は遊覧船踏査［의원 12명이 월북? 알고 보니 유람선 답사］」の中から「右に行くものと思った船が左に方向を変えた。あちこちでざわめいた。『戦争になったら、そのまま捕虜になるんじゃないか』『こりゃ団体越北だね』冗談であったが、緊張感が滲んでいた。左も北韓（北朝鮮）で右も北韓であった。（…）団体で越北して無事に帰還した与野党議員らは、皆のぼせた表情であった」

第六章

四集団、コリア語を共有する——国民・民族アイデンティティの地形図

北朝鮮・コリア語活性化の背景

一九九八年から、丹東では韓国の放送を衛生放送で視聴できるようになった。丹東では韓国の衛星放送を視聴した北朝鮮人が、韓国人にホームショッピングの品物を頼むこともある。そして中国・遼寧省の党日刊紙『遼寧日報』では、ハングル版の週刊誌である『遼寧朝鮮文報』を発行した。この新聞では朝鮮族記者らが活動中であった。これとともに、丹東では北朝鮮に配達される新聞と雑誌、「朝鮮（北朝鮮）観光」案内パンフレットも見ることができる。

遼東学院［＊大学に相当］朝韓学院［＊コリア語科］では約八〇〇人の中国の大学生が、朝鮮族の先生だけでなく北朝鮮と韓国から来た先生たちからコリア語を習っている。コリア語で作られた雑誌は、朝鮮族と韓国人の運営する『ジンダルレ』『メアリ』と、丹東韓人会が『韓国人の消息』から名称変更して二〇一〇年から発行している『鴨緑江恋歌』がある。二〇一二年、北朝鮮の黄金坪《ファングムピョン》と向きあっている丹東の国境地域には、「国境堰堤紹介（국경언제소개）」をタイトルとした案内板が設置された。「堰堤（언제）」は韓国でおもに「堤防（제방）」という単語で使用される。「堰堤」は丹東の北朝鮮人と朝鮮族に通用している言葉だ。

　これと異なり、文化大革命期に漢族文化への同化が促される雰囲気[55]のなかで一九七〇～一九八〇年代を送った朝鮮族が、朝鮮（韓国）語を使う機会も次第に減っていったところが丹東だ。その結果、一九八〇年代に丹東市内に居住した朝鮮族は、朝鮮族学校よりは中国の学校を選択するライフスタイルに従ったものだった。すなわち朝鮮族もやはり一九八〇年代初中盤にはコリア語ではなく中国語を選んだ時期があった。これと関連して、一九九七年にここに居住する朝鮮族の言語生活を研究した王翰碩《ワン・ハンソク》は、「三〇代および二〇代の場合には、漢語を聞くこと・話すこと・文を書くこと、すべてをよくこなす方であり、とくに外部の職場に通う人びとは朝鮮語よりも漢語により慣れ親しむ方である」と指摘している[56]。こうした理由のため、二〇一〇年前後に四〇・五〇代である丹東地元民の朝鮮族のなかには、コリア語を聞いて理解することはするが、話すことと書くことはうまくできない人たちがいる。

　文化大革命期を経験した朝鮮族にとって、中国で少数民族である自分たちのアイデンティティを維持するというのは、容易なことではなかった。「一九八〇年代後半の丹東で、韓国語の痕跡は朝鮮族学校の看板が唯一だった」という六〇代朝鮮族の証言を通じて、その当時の丹東におけるコリア語使用と位置を想像できる。今は韓国語を流暢に使う丹東市内の地元民である朝鮮族さえも、「二〇〇〇年代に入って、私の場合（当時二〇代後半）韓国語を本格的にもう一度習って、馴染むようにした」と語る。とりわけ彼らがふたたびコリア語を使用し始めた初期の理由と動機は、北朝鮮を相手とした経済交流の必要性のためである。

　朝鮮族が大勢居住する東北三省の他の地域においては、このような最低限の韓民族のアイデンティティ、あるいは韓流の影響によってアイデンティティを論じることができるのに対し、丹東には異なる文脈の要素がある。一九九〇年から登場した丹東市内のハングルの看板がひとつ、ふたつと生まれた背景と理由を見ると、丹東では朝鮮族が単純にコリア語を維持しつつ人生を歩んできたのではないことを伺い知ることができる。また、ここが韓国の影響だけを受けてきたものとは解釈できず、むしろ北朝鮮の影響が先にあったこともわかる。

　まず丹東の地元民である朝鮮族が北朝鮮人を相手にして経済活動をおこなう過程において、コリア語の看板とコリア語を使用し始めた。丹東の地元民よりも一面ではコリア語が流暢な、他地域の

【メモ・08】丹東のコリア語看板

コリア語の看板の登場背景を見ると、初期には北朝鮮人を相手にした経済交流の性格が強かった。このために、원주필（ボールペン）、불소강（ステンレス材質）、액틀（額縁）、中国료리（料理）、몸까기（ダイエット）、색텔레비（カラーテレビ）などの看板が現れ始め、今も使われている。これらの表現は韓国でほとんど使われない朝鮮語である。二〇〇六年には釜山カルビ、漢城トンタッ[*62]、玄風ハルメチプ・コムタン[*63]などの看板が通りに見られるが、二〇〇二年度に出た雑誌の電話番号案内には、清流館、金剛山スルチプ（呑み屋）、松濤園、妙香山、萬景峰、平壌娯楽などが主流を占めている。北朝鮮式表記と地名のほかにも、看板にコリア語音だけをつけて作ったものがある。三馬路약점（薬房）、쌍면테프（両面テープ）、各種装飾板피발（卸売）、방도문（防犯ドア）などは、中国語表現をその音だけハングルに変えた例である。正書法表記の誤った看板が多いが、たとえば단동시초선무역부（단동시조선무역부、丹東市朝鮮貿易部）、이발（이빨、歯［科］）治療、굴고기（불고기、プルコギ［焼肉］）用道具、머사지（마사지、マッサージ）などがある。上のコリア語看板のなかの表現は、コリア語が上手でない北朝鮮華僑や朝鮮族にとってはなれ親しんだ、実際に彼らが使用する用語である。

朝鮮族と北朝鮮華僑が丹東へ移住しながら、中朝国境貿易交流に参加し始めた。こうした土台において対北事業を望む韓国人も介入しながら、丹東には多様なコリア語の看板が共存する姿を見せている。こうした通りの風景について、丹東人は四集団が丹東で暮らし始めて現れた現象という点を指摘し、北朝鮮との交易のためであるという言葉を漏らすことなく語る。

二〇一二年にもコリア語の看板の内容は、おもに北朝鮮人を念頭に置いていた。彼らがおもに購入する商品名が商店のガラス窓に表記されており、韓国の品物を販売する商店は、北朝鮮人そして中朝貿易をおこなう北朝鮮華僑と朝鮮族を相手にするために、韓国産であることを明示する。これに反して農水産物を除き、北朝鮮製品であることを掲げた看板は少数である。その理由は、北朝鮮の農水産物と製品は、丹東市内を経ずに保税貿易方式を通じて韓国へと流通されるからだ。北朝鮮人と関係のないコリア語の看板は、丹東韓人会・韓国文化院・ハングル学校・韓国教会だけだという話もある。このように丹東市内でコリア語活性化の根幹である四集団の経済交流方式は、二〇〇〇年代に入ってからも変化がない。

コリア語——暮らしの道具であり、関係を結ぶための戦略

韓国人は他国でコリア語を使う同胞に会うと喜ぶ傾向がある。その出会いを通じて同質性、すなわち民族愛を感じると表現する。しかし丹東ではこうした出会いが別の次元で作動する側面がある。まず中国語とコリア語の使用能力は、四集団の間の生活様式と出会いを多様にする手段となっ

北朝鮮産を強調した商店の看板は、おもな顧客が韓国人であることを意味する。

韓国産を強調した商店の看板は、中朝国境を往来する北朝鮮人・北朝鮮華僑・朝鮮族たちを、おもな顧客として想定していることがわかる。

ている。とりわけ中国語のできない場合の多い北朝鮮人と韓国人は、言葉の通じる朝鮮族と北朝鮮華僑に中国語に関して一定部分を頼る。彼らはコリア語を共有しているために、出会いのなかの疎通は基本的に問題がない。むしろ丹東で出会えるが、南北関係のために北朝鮮人と韓国人は公式の出会いに制限があり、注意せねばならない側面がある。

　したがって北朝鮮華僑と朝鮮族が中間に介在した、間接的な出会いの格好が必要である。この過程で、北朝鮮華僑と朝鮮族

丹東所在の北朝鮮商店全景。韓国の客を相手している北朝鮮の女性従業員は、金日成バッジをつけており、自分を証明しようと北朝鮮パスポートを見せたりもする。

丹東市内の電子卸売市場の陳列台の上の人共旗*64と太極旗は、この店の社長である中国人が想定している顧客を無言で語ってくれている。

は通訳者の位置ではなく経済活動の媒介者として、北朝鮮人と韓国人を互いに結びつける。

しかし中国語にくらべてコリア語の下手な朝鮮族は、通訳上の困難を経験する。コリア語よりも中国語が下手な北朝鮮華僑は、コリア語が彼らの暮らしの手段となったりもするものだ。このような条件において、四集団は「中国・丹東で国境貿易をする時に詐欺に合わないようにするには、言葉の通じる人に用心しなければならない」と述べたりするものだ。こうした冗談を言うようになる理由は、彼らの関係がおもに経済活動と結びついているからだ。すなわち四集団は、コリア語が通じるために中朝国境貿易と関連した経済活動を図ることができる、という長所がある。

北朝鮮人と韓国人は、公式に丹東に所在する北朝鮮の民族経済協力連合会（民経連）という窓口を利用できる。しかし四集団が置かれた状況が異なるため、四集団のうちふたつの集団だけが交流できるケースは多くない。具体的な事例を韓国人を中心に述べると、丹東は中国に属しているが、対北事業をおもに追求する韓国人はコリア語を経済活動の道具とみなす。丹東には、統一部[*65]に「北朝鮮住民接触[*66]申告書」を提出する方法のほかにも、北朝鮮人に会う非公式の方法を紹介してくれる人が多い。しかしながら万一に備えて中国人である朝鮮族を介入させるのが、問題を避けるうえでよい方法と判断する。ところが通訳を担当する朝鮮族が思ったよりもコリア語がうまくなく、北朝鮮の事情をよく知らないような感じを受けることになる。この時、中国国民であるがコリア語がうまく北朝鮮事情に通じた、北朝鮮華僑の紹介を受ける。この過程で韓国人は思い悩む。中国で朝鮮族から多くの詐欺被害を受けたという経験談もあるので、先入観の強い韓国人は朝鮮族にくらべ、北朝鮮華僑が事業パートナー兼通訳としてふさわしいと考える。ところが北朝鮮華僑はとどのつまり中国人だという思いのため不安になる。

そうかといって彼らが北朝鮮人に直接会うには、丹東における人生の年輪と人脈が不足である。韓国人は北朝鮮華僑と朝鮮族が担当しうる中国国民としての役割を無視できず、利用しなければならない状況だ。彼らを中間に据えることで北朝鮮人と直接的な取引をおこなっても、韓国人は北朝鮮華僑や朝鮮族と経済交流をおこなった格好を取りうるからだ。ここで動員されるコリア語と関連した戦略のうちのひとつは、いわゆる朝鮮語の文体使用とつづり字の過ち、そして中国企業の印鑑押印などである。韓国人は自らが作成しながらも、わざとコリア語がうまくないことを示すために、北朝鮮華僑と朝鮮族が使用する文体と単語を使用する。

同様に、丹東に出て来る北朝鮮人は公式に民族経済協力連合会（民経連）という窓口を通じて韓国人に出会い、経済的な交流を図ることができる。しかしながら、彼らはこの場合に費用がたくさんかかるという理由のために、本人たちのみならず事業パートナーである韓国人も嫌うということをよく知っている。したがって彼らも韓国人に非公式に出会う過程において、北朝鮮華僑と朝鮮族が必要である。ところが北朝鮮華僑は言葉も通じ故郷も同じであるが、以前から彼らが華僑、すなわち出身は同じ北朝鮮でありながらも中国人であることに対する先入観を持ってきた。反対に朝鮮族は同じ民族であり言葉も通じるが、北朝鮮華僑よりもより資本主義に染まった人たちという先入観のため、思い悩むことになる。しかしながら韓国人を相手にせずに品物を購入するために、北朝鮮人は自分たちよりも中国語もうまく、中国の事情にも通じた北朝鮮華僑と朝鮮族が必要だ。

四集団は、韓国の放送を共有したりもする。北朝鮮華僑と朝鮮族はコリア語に不慣れだが、疎通には問題がない。四集団が互いに出会うとき、単語と抑揚は大きな問題にはならない。ただし四集団の間の会話において、韓国人は朝鮮語特有の言葉遣いに適応する過程が必要であり、英単語の使用を自制せねばならない。むしろ朝鮮族は中国語に不慣れな時に、北朝鮮華僑は朝鮮語がうまくても北朝鮮の事情についてわからない様子を見せる時、彼らのアイデンティティに疑問を抱かれたりするものだ。韓国人が北朝鮮人と出会う時、語彙選択にいくつか注意しさえすれば、対北事業をそれなりにやってきたという印象と信頼感を彼らに植えつけることができる。

まずできるだけ使わないようにしなければならない言葉としては、韓国と南韓、北朝鮮と北韓など国号に関するものだ。そして彼らの指導者に対する蔑みの表現としての、たとえば「金正日氏」または「金正日が……した」などの表現がある。「南朝鮮」という単語は、北朝鮮が韓国を卑下したり批難する時によく使われた言葉であるため、「北朝鮮」という言葉も彼らにとって同じニュアンスで受け取られる。南韓と北韓という表現も、同じ韓国という名称に込められた脈略から使用を自制する。そこで四集団が北朝鮮と韓国に言及する時は、南側（남측）と北側（북측）、あるいは南の方（남쪽）と北の方（북쪽）という言葉をよく使う。あるいは、親しい間柄では下の町（아래 동네）と上の町（윗동네）という言葉を使用する。丹東では北朝鮮と韓国の鋭敏な政治的状況についてはできるだけ避ける場合が多いため、とくに韓国人にとっては北朝鮮指導者に対する表現にもっとも気をつけねばならないように感じられる。

このように四集団の間には、コリア語の単語のうち国号の言及を回避する戦略が駆使される。しかしながら北朝鮮人が自分の国を表現する時に使用する「朝鮮」という単語は、韓国人だけが避ける単語だ。北朝鮮華僑と朝鮮族はわざわざ朝鮮という単語を強調して使用することで、北朝鮮人には信頼感を、韓国人には自分たちが対北事業の適任者であることを胸に刻ませるための方法として活用する。

一方、北朝鮮人が事業パートナーである韓国人を念頭において使った文であるが、丹東では「対《デ》方《バン》、すなわち先生」という表現を使用している文書に容易に接することができる。これは相手を称する時、特定人でない代名詞を使用する方式の一環である。韓国人の間でも丹東で北朝鮮と関連した話を携帯電話でする時は、「そちら」「あちら」という言葉を意識的に使う。これをさして四集団の人びとは「盗聴のせいだ」と述べたり、韓国人は「韓国に帰って問題が生じる余地を作りたくない」と述べる。このように四集団は、通話をする時も北朝鮮と韓国の取引を表現する言葉が出ないよう、神経を使う。

公式・非公式の出会いの共存——人知れず酒を奢る

私がフィールド・ワークをおこなった二〇一一年七月、丹東を訪問した金文洙京畿道知事が、丹東で開かれた韓国企業懇談会で「丹東は統一安保の現場であり、より多くの人が来て北韓（北朝鮮）と中国の現実を知るよう努力する」と言及したこと、そして自分の夢であるとして「韓国・中国・北韓の人びとが、互いに往来をしながら仲良く暮らせたらよかろう」と語ったのは、韓国観光客の一般的な反応と大した差はない。

しかしながら、丹東にはもうひとつの風景がある。韓国人がおもに観光する鴨緑江公園には、昼食時間ともなれば会社からしばし抜けだして散歩する北朝鮮人もいる。大型スーパーの周辺は北朝鮮人の待ちあわせ場所として利用される。夏の夕暮れ時、丹東通りの焼き鳥屋の客のなかで、北朝鮮人・北朝鮮華僑・朝鮮族・韓国人がそれぞれテーブルに座っている姿を、容易に目撃することができる。互いを見知って深く交流をする際にも、彼らは相手のテーブルの周辺で「どんな人びと」が呑んでいるのかをまず把握する。彼らは状況次第で互いに見知った素振りをしたり、時には知らない素振りをしたりもするものだが、ここで基準は知人関係ではない。彼らはまず相手の国民と民族のアインデンティティを判断根拠とみなす。

一例として、私が韓国人と羊の串焼きを食べている時、すぐ横の席に知りあいの朝鮮族が北朝鮮華僑と一緒に酒を一杯やっていた。私がお互いに紹介しようとする時、私の呑み友達が韓国人であるという点を把握した朝鮮族は、静かに私に「すぐ横で丹東の朝鮮人（北朝鮮人）のうちの身分の高い人が家族と一緒に食事をしているから、彼らが去ってからにするのが問題なかろう」と言った。私と知りあいである他のテーブルの韓国人は北朝鮮人に目配せをするだけで、酒を勧めたり握手を求めたりはしなかった。その夜、四集団はおのおの羊の串焼きを食べ、酒を呑むありさまであった。テーブル間に往来はなかった。しかし彼らが計算した領収書には、相手のテーブルにビール何本かを互いに注文した内訳が含まれていた。

この場面は、丹東における自然な呑み会のようすのうちのひとつであり、丹東の人の目にだけ見える場面である。また国民・民族のアインデンティティが確認されたり解体されたりする、出会いの瞬間でもある。これと同時に閉鎖された国境と開かれた国境という、中朝国境の両断面が交差する丹東の経済的人脈を見せてくれる。これは四集団の間の出会いの特徴を含蓄している。それぞれの酒宴の主人公たちは互いに経済的な交流をしているが、表面的に彼らがなぜ出会い、彼らは互いにどのような人脈として認識されているのか、簡単には把握されない。ゆえに金文洙京畿道知事と韓国の観光客の反応は当然のものだ。ところが丹東には四集団が経済的に結びついて交流する生活の根拠地があり、彼らが日常的に接触する空間が厳然と存在する。

韓国人は北朝鮮人に会うためには、公式に韓国の統一部傘下の南北交流協力センターに「北朝鮮住民接触申告書」を提出しなければならない。しかし丹東では貿易従事者でなくても、北朝鮮人と韓国人の出会いが日常の場でなされるのが現実である。通りを歩き、食堂で食事をしている時や、店で品物を買ってみたら同じ客である彼らとは、自ずと簡単に最初のあいさつを交わす機会がある。こうした状況で四集団のうちのひとつの集団だけが行くことのできる場所は、公式に国民アイデンティティが明らかにになるパスポート検査の必要な、「丹東市韓国人キリスト教臨時活動場」という名称をもった韓国人教会だけだ。むしろ北朝鮮レストランは韓国人がたくさん利用し、韓国料理を食べられる食堂は北朝鮮人がよく通うといえる。

北朝鮮の学生と韓国の学生が中国語教室の同じクラスで中国語を学ぶ姿、そして彼らが親しくなったら中国語の先生と一緒にハンバーガー屋に一緒に行くことになるのは、ふたつの集団だけの事例でもある。その他に北朝鮮人と韓国人、そして四集団の出会いにおいて制限されている空間はないといえる。すなわち、北朝鮮と韓国の国民アイデンティティによる国家監視あるいは自主検閲など、出会いの制限が厳密に適用されないところが丹東だ。

その理由は北朝鮮人と韓国人の間の出会いが、韓国の統一部の承認申請と北朝鮮の民族経済協力連合会（民経連）を通した公式のもののほかにも、非公式にたくさん生じるからだ。このため空間を移動するとき、彼らは時間と距離をおいて、車を利用したり歩いて、ひとつの建物に再度集まったりする。食堂と飲み屋も、他の人びとから見えない部屋を好んで選ぶ。朝鮮通りにある朝鮮族が運営する韓国食堂のうちの一カ所は、こうした非公式の集まりと一般の集まりを区分して客を案内したりもする。食堂に入る入り口はひとつであるが、前者と後者の客に対し食堂内部の通路を利用して、それぞれ別の2階に席を取ってやる営業戦略を駆使する様子も見られる。

こうした場面は、南北関係の特殊性が丹東にも反映されていることを見せる事例だ。しかし一方では北朝鮮と韓国の間の出会いにおいて、国家の代表や団体の間の出会いが主流となっている現実を考慮するならば、丹東は北朝鮮人と韓国人の個人的な出会いがなされ、持続される現場だ。さらに国家の視線で見るならば、彼らの出会いには公式的・非公式的な方法が動員されている。

しかし丹東に暮らす北朝鮮人と韓国人の立場から見るならば、丹東は彼らの日常的な交流がなされる場所だ。さらに南北関係から自由な中国人である北朝鮮華僑と朝鮮族が、北朝鮮人と韓国人の出会いに介入するため、丹東における出会いの事例もまた多様である。

一般的に丹東を訪問した韓国人は、北朝鮮人が運営する店や食堂で北朝鮮人に出会う。この過程で北朝鮮人と初めて会話してみた韓国人は、丹東に存在する北朝鮮人の実体を体で経験する。そして韓国に居た時からすでに知ってはいたが、丹東では北朝鮮人と事業ができるという言葉が事実であることを確認することになる。続いてその日の夜、丹東に暮らす韓国人の紹介で北朝鮮華僑の運営する茶房で朝鮮族に会い、酒を一杯酌み交わしながら、対北事業の経験談と北朝鮮人を相手にする方法を聞き、学ぶ。その次の日から通訳として雇用した北朝鮮華僑あるいは朝鮮族とともに、国境貿易の現場であるという三馬路・丹東税関・新柳・大型スーパーを巡る。数日後、韓国に帰る船でも対北事業家に偶然に出会い、丹東についてのあれこれの話に接した韓国人は、丹東で対北事業を始めることを決心する。

この過程で、ある韓国人は韓国の教育問題解決などを考慮しながら、家族みんなでの丹東移住を決心したりもするものだ。これによって丹東内の中国学校の教室では、四集団の子どもたちがいっしょに授業を聞きながら同じクラスの友達として過ごす場合が多い。そして中国人、あるいは朝鮮族と韓国人が結婚した多文化家庭の子どもたちまで考慮するならば、中国の学校で中国語を学びながら、コリア語をアイデンティティの基盤とする学生間の出会いは、より複雑で多様なものとして形成される。

韓国人が三集団に出会う方法

韓国人は初めは民宿を居所にしたりするものだ。彼らが利用する民宿はおもに朝鮮族または韓国人が運営する。観光客も宿泊をするが、国境貿易をする韓国人が数カ月ずつ長期間投宿するケースが大部分である。投宿客は国境貿易を兼ねている民宿の主人や、一緒に泊まっている人たちとの出会いを通じて、国境貿易のノウハウと人脈を伝授されたりするものだ。彼らは丹東の国境貿易には中朝貿易のみならず、南北貿易さらには三カ国貿易という特性が内在していることを知ることになる。丹東で発行される雑誌の民宿広告欄の「朝鮮貿易相談可能」は、よく登場するコピーだ。このように民宿は単純に宿泊の役割だけをするのではなく、国境地域で国境を活用する国境貿易の方式と情報が、民宿と関連した人びとを通じて交換される。

丹東の民宿としては、韓国の衛星放送施設を備えたワンルーム形式の客室が一〇室を超えるところが繁盛している。こうした理由から、丹東では朝鮮族よりも賃金が安い北朝鮮人や北朝鮮華僑が、厨房ならびに清掃を担当する場合が多い。彼らは休み時間に投宿客と会話する。もちろん民宿には国境貿易と関連した出会いばかりがあるのではない。韓国人が北朝鮮人に出会うこととなり、彼らの暮らしと考えを知っていく機会もある。私もフィールド・ワーク初期（二〇〇六年）に、鴨緑江と新義州が正面に見える民宿に住んだ。

その当時、家政婦は北朝鮮女性であった。彼女は韓国で食堂の仕事を経験した、民宿の社長である朝鮮族の女性から習った韓国料理を、食事のたびに準備した。客の立場としては、北朝鮮・中国・韓国料理がまざったお膳に毎度接するほかなかった。彼女はちょくちょく民宿の主人あるいは私と一緒に韓国ドラマを見たりもし、夕食を終えたら北朝鮮人が暮らす三馬路の行商宿へよく遊びに行ったりした。彼女は韓国について言葉を慎む印象があったが、一緒に見た韓国の週末歴史ドラマについては関心を示した。私は週末にしばしば彼女と一緒に大型スーパーと鴨緑江公園を廻った。彼女は大型スーパーの前で故郷の友人という北朝鮮人と挨拶することもあった。

フィールド・ワークをする間に民宿を変えた私は、今度は北朝鮮華僑の女性が作ってくれる食事を食べながらひと月を過ごした。私と似た経験を積みながら丹東に暮らし始めた韓国人は、一三階の民宿の居間から凝視した鴨緑江越しの新義州、そして丹東に横たわる中朝国境の性格が、韓国人を除外した三集団が往来する国境であることを悟ることになる。韓国人の脳裏には、中朝国境という媒介を通じて形成された、四集団の間の関係づくりの地形図が姿を現わしていく。

一方、北朝鮮人は、国境の向こうに暮らしていた朝鮮族の親戚とのつながり、先に暮らしている駐在員たちの人脈などを通じ、丹東での出会いの方法を学んでいく。彼らは丹東内の会社と食堂で働き、三集団の人びとと交流を持つ。たとえば丹東に初めて来た北朝鮮人も、北朝鮮の知人を通じて紹介された韓国人が運営する会社を訪問する。丹東にいる北朝鮮人が結びつけてくれた韓国人と、丹東に訪問したことのない北朝鮮人は、中朝国境を間に挟んで数年間、通話だけで商取引を維持したりもする。

出会いの空間

北朝鮮華僑は国境の反対側である北朝鮮にいる北朝鮮人と親戚たちとの縁を武器に、朝鮮族ならびに韓国人との出会いの機会を作っていく。残りの三集団とくらべて中国側とすでに積みあげてきたネットワークのある朝鮮族は、ふたつの国境を往来できる長所を活かし、北朝鮮人や韓国人のうちの一方に重きをおいてネットワークを広げていく。こうした四集団の人びとが往々にして述べる言葉のうち、忙しく暮らしていて久しく会わなかった人同士も「駅と港の税関前に行けば、お互いに会うことができる」という表現がある。その周辺には、北朝鮮へ帰る北朝鮮人向けの土産物セットを売る店が密集している。こうした慣例を丹東の人は「サンガム」[*67]を準備するという。人民元五〇元、一〇〇元、五〇〇元のものなどと注文すれば、その場で紙箱に果物・菓子・酒・ジュース・飴などを詰めて包装してくれる。

丹東は手数料を払って物品を委ねれば、駅と税関で初めて会う間柄であっても、平壌に物品を伝達することを頼むことも可能だ。したがって、四集団の人びとが駅と税関の前で中朝国境を行き来する品物をやりとりするために集まる。これらの空間は、中国に戻る北朝鮮人と彼らを出迎え、見送る韓国人、北朝鮮と中国を往来する北朝鮮華僑と朝鮮族たちが出会い、交流する場である。ここで出会う四集団は、食堂・喫茶店・会社・事務所・カラオケへと場を移して、ふたつの国境を往来する三カ国貿易において各自が受け持つ役割について話しあう。こうした出会いのおもな話題は、中国から北朝鮮へ、北朝鮮から中国へ、中国を直接的・間接的に経由して北朝鮮と韓国に流通する品物と製品にまつわることだ。すなわち、ここでは国境貿易と南北経済協力の公式的な交流方式をどう活用するのか議論したり、時に必要な迂回的な方法も議論する。

その他に、彼らは職場でも交流中である。四集団の関連する会社があり、そのうちもうひとつの開城工業団地と通称される「中朝合資会社」または「南北合資会社」が散在している。ふたつの会社の基本類型においては北朝鮮の人びとが労働力を提供する場合が多く、三集団の資本が投入されてできた製品と結果物は、中国と韓国でおもに消費される。公式的には中国の会社を掲げているが、社長は韓国人、中間幹部は中国語通訳と北朝鮮人を相手とする業務を担当している北朝鮮華僑と朝鮮族で構成されている。北朝鮮人はバイヤーと駐在員の資格で会社を訪問する。彼らは経済的な目的で会い、経済的な利潤をともに創出しようと努力する。

このような類型の会社における日常的な風景は、四カ国の間の出会いの連続だ。この会社のスケジュールは北朝鮮と韓国に合わされている。北朝鮮の名節［＊旧正月や秋夕《チュソク》など伝統的祝祭日］と記念日は、生産日程管理に必須である。韓国にある取引企業が休日の時は韓国から電話がこないため、会社の職員たちは暇になる。会社の壁面には、丹東－仁川の船と丹東－平壌の国際列車の時刻表がある。職員たちの机には、北朝鮮の工場での生産日程と、韓国のホームショッピング広告の日程が表示されている。隣りの事務室には、北朝鮮と韓国から送られてきた衣類サンプルが積まれている。

社長である韓国人は、韓国から来た大企業の職員を相手するのに忙しい。職員である北朝鮮華僑は、北朝鮮にある工場に随時電話をし、北朝鮮の工場に派遣されることもある。中国の税関業務だけを専門に担う漢族もいる。縫製用語に関して韓国人が朝鮮族に説明してやりながら、朝鮮族は中国の税関と北朝鮮の工場に送る文書を作成する。北朝鮮から品物が送られる日となれば、漢族の職員たちまで動員されて作業せねばならない。韓国人社長は以前に取引した北朝鮮の工場の職員が丹東に到着したという電話を受けては、「統一保険」という言葉を思い浮かべる。社長は彼らといつかもう一度取引できる日に備え、彼らへの接待をおろそかにできないと考える。ここには中朝国境に対する韓国社会の閉鎖的イメージと先入観は見えない。北朝鮮人と韓国人の国民アイデンティティが、彼らの交流に大きな影響を及ぼさずにいるのだ。

北朝鮮レストラン、北朝鮮という他者を消費する空間

中国と韓国の観光客が丹東観光で食事をする場所のうちで人気があるのは北朝鮮レストランである。最初の北朝鮮レストランは一九九二年に鴨緑江公園の場所に立てられた「青龍館」である。北朝鮮レストランは、一、二カ所を除いて鴨緑江の岸辺に臨んでいる。二〇一〇年を前後したこの一〇年の間、北朝鮮女性従業員のサービングと公演が見られることを特徴としてアピールした北朝鮮レストランは、六、七軒が営業している。二〇一一年に聞こえてきた北朝鮮レストランの風景は、次のようであった。

丹東に居住する韓国人は、韓国の観光客一〇名を接待するために北朝鮮レストランの予約を必須とする。韓国の観光客は「統一部に申告をしなくてもいいのか」、あるいは「北朝鮮レストランで守らねばならない注意事項は何か」などを尋ねる。韓国人は「大丈夫だ」と応える。彼らは北朝鮮料理を食べながら、自分たちの味の好みとは合わないと話す。北朝鮮女性の従業員が「すぐに挨拶をいたします」という言葉を述べると同時に、すこし前まで料理を接待していた二名の女性従業員が公演衣装に着替え、「パンガッスムニダ（嬉しいです）」という歌[*68]を歌いながら舞台の上に駆けあがる。その後、中国の歌、韓国の民謡、正体不明のダンスなど、それぞれ六、七曲の歌と踊りが三〇〜四〇分間続く。最後には客たちとともにガンガンスルレ[*69]形式でテーブルの周辺を、手をつないで廻る遊戯が繰り広げられる。この瞬間、ひとつになったという感じを受けるが、一緒に踊りを踊った北朝鮮女性従業員の可愛らしい顔と異なり、彼女たちの手がごついという事実を知ることになった韓国の観光客の気持ちは複雑になる。

一方、客の大部分を占めている中国の客が非常に喜ぶ姿に、韓国の観光客は「理解できない」と語る。韓国の客が写真を撮ろうとすると、脇にいた北朝鮮の女性従業員が制止を加える。ところが中国の客が写真を撮るのは制止しない。韓国の観光客が公演する姿を撮影することを制止する理由を、北朝鮮レストランの従事員のみならず丹東の人は「当然だ」と語る。韓国の観光客は公演そのものを記念に残そうとするのではなく、韓国に戻って北朝鮮レストランを他者化する文章と写真を

北朝鮮レストランの特徴のうちのひとつである従業員の公演

インターネットに上げるというのだ。韓国の観光客は、北朝鮮として想像して期待した公演とはかけ離れた踊りと歌が中心であるのを見て「あきれた」と言う。「北韓（北朝鮮）レストランに北韓はない」とさえも言う。

しかし上の風景は、わずか何年かの間の変化を反映したものだ。二〇〇五年であれば、愛唱される歌は北朝鮮と韓国歌謡、そして民謡などが中心であった。二〇〇五年当時、ここで「パンガッスムニダ」「またお会いしましょう」「平壌冷麺」「木馬に乗った娘」などの北朝鮮歌謡と、「故郷の春」「朝露」「荒野にて」「七甲山」などの歌を聴くことができた。この頃さえ丹東の北朝鮮レストランは費用のかかる場所であった。しかし丹東の人びとの所得も上がり、いまや北朝鮮レストランは韓国人だけがおもに通うところではない。二〇一一年にレストランを訪問した当時、丹東で北朝鮮レストランを訪れるおもな顧客層と観光客は、中国人であった。彼らは中国式にいくつかの料理を多様に注文した。

反対に、韓国の観光客は冷麺と温飯[*70]だけをおもに食べたがる。したがって北朝鮮レストランの立場としても、売上額で中国人と韓国人はくらべものにならない。一方で北朝鮮レストランを訪れる客のうち韓国人が当然多いと考えるのは韓国人の先入観だ。二〇一一年に開店した北朝鮮レストランは、旅行社で団体客を予約する時は、ひとりあたり最低で人民元で一〇〇元に相当する食事を注文することを要求した。ところが韓国の団体観光客は、丹東でのひとりあたりの食費として、もっぱら人民元二〇～三〇元しか消費しないのが実情である。

こうした事情のために、北朝鮮レストランは中国人を考慮して公演する。そして北朝鮮レストランは北朝鮮人が運営するものと知られるのとは異なり、中国資本（北朝鮮華僑と朝鮮族を含む）も流入している。レストランでは中国の厨房長が料理をする場合もある。したがって丹東における北朝鮮レストランは、単に北朝鮮女性従業員だけが北朝鮮を象徴するものとして認識される。それゆえに丹東の人は、ここを北朝鮮料理を消費し味わうための機会というよりも、北朝鮮女性従業員に会って彼女たちの公演を見られる空間としてだけ意味づける。

北朝鮮レストランの営業戦略と内部事情を知らない中国の観光客と韓国の観光客の反応は、それぞれ異なりながらも認識は同じである。中国の観光客は、国境を越えなくても異国的な北朝鮮料理と人を見たものとして満足する。すなわち北朝鮮レストランは、彼らにとって外国であり他者である北朝鮮を消費し、経験できる空間である。反対に韓国の観光客は、北朝鮮国境のすぐ脇にあるというだけで、北朝鮮と民族のアイデンティティに出会えるものと考えて北朝鮮レストランを訪ねる。そして実際に訪ねた北朝鮮レストランで、もはや同じ民族の料理と歌が中心ではないことを知り失望する。彼らは同じ民族であることを確認できるものと期待したここで、異なる存在すなわち他者を見ることになる。このように中朝国境のすぐ横、国境崩しの象徴である北朝鮮レストランで、二つの国民である観光客の反応は異なるが、北朝鮮という他者を消費し、感じ、出てくる。

国民・民族アイデンティティに対する戦略——現わす、隠す、往来する、確認する

四集団が国境を媒介として互いに関係を結ぶなかで、国境は四集団の国民アイデンティティを区分する。しかし、ここでさらに踏み込んで中朝国境と関連したライフヒストリーを窺ってみると、四集団の国民・民族アイデンティティに対する多面的な状況が存在する。カーニー（Kearney）は米国とメキシコの境界、すなわち国境が明確に二つの国を区分するが、国境地域はふたつの国民国家

が重なりあったまま、はっきりとせずに変動する地域であるという問題意識を提起する。(57) こうした事例を約三〇～六〇年前の丹東国境地域においても探しだすことができる。次の文は、中朝国境と関連したひとりの人間の国民・民族アイデンティティの変化を見せてくれる。

一九五〇年に戦争が起こると、ソン・ドクヨンの兄は中国人民軍として出ることになった……。兄は鴨緑江を越えて朝鮮人民軍に編入された。戦争が終わって復旧工事をしながら一九五六年春まで朝鮮人民軍にいた。中国に父母がいるからと休暇をもらって渡河証を受け取り渡ってきたのだけれど、両親が取り押さえて北韓（北朝鮮）にふたたび送ろうとしなかった。人民軍として赴き北韓で暮らして戻ったから、中国では兄を朝鮮僑民として扱った。そして文化革命を経た後に中国公民になった。(58)

このような一九八〇年代以前の状況は、一九九〇年代以降にも続いている。朝鮮族であったある人は中国国民として暮らした後、一九七〇年代の文化革命期に中朝国境を越えて北朝鮮国民になった。また別の朝鮮族は韓国国民に国籍を変えたが、依然として丹東に暮らしている。韓国国籍を取得した朝鮮族は、丹東では当然に韓国国民として外国人生活をするほかない。彼らが滞留資格、すなわちビザを延長する場合、中国の公安当局は出生地を確認する。もし、中国に未だに戸籍が残っていれば、かならず抹消証明書を提出しなければ延長は許可されない。とは言え二重国籍を取得した人びとは中国で滞留ビザを延長せずに、期間が満了したら韓国に一度渡って戻る。反対に子女のために韓国国籍を取得した朝鮮族の老人たちは韓国国籍を放棄し、元来暮らしている中国国籍を活用して中国の身分証を所持したまま、中国で生きていく。

また別の例もある。二〇一二年、丹東フェリーで出会った朝鮮族の女性は、韓国で中華料理店の従業員の仕事をしており、しばし故郷の丹東に向かうところであった。六人船室で同室した彼女との会話を通じ、私はある家族の国民・民族アイデンティティの多様さを読み取ることができた。この女性の母は北朝鮮国籍を持って丹東に暮らす朝僑である。本人は父にしたがって朝鮮族の身分を選択した。彼女は漢族と結婚した。彼女の息子は朝鮮族ではなく、漢族として暮らしている。彼女の母は朝僑であるため、北朝鮮にある故郷をたまに訪問する。反対に彼女は朝鮮族なので、韓国で働ける。一方で、二〇一〇年を前後して丹東では、韓国人と朝鮮族、韓国人と漢族からなる多文化家族が増加しており、彼らの子女が幼稚園と小学校に進学する状況にある。

中国国民であるが、北朝鮮華僑は身分証・運転免許証などを得られない不便さに甘んじようとも、北朝鮮華僑としての身分を維持したりするものだ。しかし彼らのうちには北朝鮮華僑を放棄し、中国国民として生きようとする者もいる。そして基本的に北朝鮮人と韓国人は丹東において、出身国家のアイデンティティを保ち北朝鮮と韓国の国民として暮らしている。こうした四集団の状況において、一九九七年に韓国で生まれて二〇〇六年から丹東の中国学校に一年以上通っていた韓国の学生は、週末にハングル学校に来て「先生、うちの学校には大人たちの言うような北朝鮮・北朝鮮華僑・朝鮮族の友達が多いです。私が見る限り全部同じ人なのに、分ける基準が何なのかわかりません。私は朝鮮族の友達だと思っていたのに、両親に訊いたら北朝鮮の子だと言いました」という疑問を述べた。同様に「私は誰なのか」についてのアイデンティティの悩みよりは、丹東の四集団に属する既存世代は事業パートナーを定める過程において、コリア語を使用する相手が誰なのかを絶えず判断しなければならない状況に直面する。

四集団のアイデンティティの象徴——国旗・地名・言葉づかい

丹東では、三カ国の国旗が四集団の国民アイデンティティを示す。北朝鮮人と韓国人が運営する会社と商店には、人共旗と太極旗がそれぞれ目につく場所に掲げられている。北朝鮮華僑と朝鮮族は三つの国の国旗を事務室で所持していたりするものだ。時には北朝鮮の主席父子の写真を収めた額を、北朝鮮華僑と朝鮮族の事務室で見ることができる。こうした様子を通じて、彼らの国民アイデンティティと、彼らが指向し念頭に置く民族アイデンティティが、目で確認される。

とりわけ国旗とともにパスポートは、北朝鮮人のアイデンティティを明らかにし、確認してくれる。丹東には北朝鮮美術品を展示販売するところがある。そのうち中国が万里の長城(虎山長城)であると主張するところに位置した展示場で北朝鮮美術品・手芸品・各種の記念品を販売する北朝鮮女性は、金日成バッジを身につけ韓服を着て、自らのアインデンティティを示していた。

ところが彼女は陳列台にアイデンティティを証明できる、もうひとつのものを備えていた。ずばり北朝鮮のパスポートである。三年前に彼女は本人のパスポートを展示したりはしていなかったが、二〇一一年七月、パスポートは彼女にとって、自身の北朝鮮国民としてのアイデンティティを表す手段であり、営業上の道具の役割を果たしていた。私が北朝鮮の店に居た三〇分の間、彼女はパスポートを確認するための人びとの申し出に応え続けながら、北朝鮮の商品が本物であることを述べていた。

このように品物を売り買いする時も、国民と民族に対する判断、すなわち私が誰であり、相手が誰なのかを確認させる方法がある。丹東に長く暮らした四集団の人びとは、容貌と服装、コリア語の微妙な差異を基準に、相手の国民・民族アイデンティティを確認したりする。たとえば、登山服を来て歩く人は韓国人である反面、書類カバンに黒いズボン、短い頭髪あるいはパーマは、北朝鮮男性の象徴である。そして国名である朝鮮あるいは北朝鮮という単語が看板にあるかを見て、店と食堂の所有主や客と思われる人の国民アイデンティティを判断する。

北朝鮮と韓国の地域名が書かれた店もまた、国名と同一の脈略において国民と関連したアイデンティティを示し、確認する仕組みとして活用される。また四集団は相手が自らの国家をどのように呼ぶのかをみて、その人の国民アイデンティティを見、何をする人なのかを判断する根拠として利用する。彼らの国家に対し、北朝鮮人は「祖国」あるいは「朝鮮」、韓国人は「韓国」あるいは「南韓」と称する。これとは異なり、北朝鮮華僑と朝鮮族は、相手が誰であるかを判断し、相手が使う国名を使用する。しかし彼らは北韓（北朝鮮）よりは、朝鮮、祖国という単語に馴染んでいる。そのため朝鮮という国号だけをもって、韓国人以外の三集団を区分するのは簡単ではない。

こうした条件の延長線上で、とくに北朝鮮人・北朝鮮華僑・朝鮮族は、彼らの国民・民族アイデンティティについての揺れを効果的に活用する。すなわち自らのアイデンティティを、時に隠し、時に変える戦略をとるのだ。簡単な例を見てみると、北朝鮮人は、自らのアイデンティティを現にするのが負担な時には、中国語の下手な北朝鮮華僑という身分で韓国人を相手にする。北朝鮮華僑は、対北事業をする韓国人には、時折北朝鮮の人であることを強調しながら、対北事業の適任者としての役割を自称する。たまに中国国民の身分で国境を往来しなければならない朝鮮族も、やはり韓国人を相手にする時に必要に応じ、北朝鮮華僑のように北朝鮮の人としてのアイデンティティへと往還することが時に効果的であることを認識している。

アイデンティティに関する戦略は、彼らのアイデンティティの位置にしたがって、丹東で暮らす方式と経済活動の範囲が異なるためである。このような状況が展開されうる条件は、中朝国境を越えて北朝鮮に行くこともできず、中国語を流暢に使いこなすこともできない、韓国人が存在するがゆえに可能である。またこれは対北事業、または丹東で暮らすために三集団の助けと役割が必要な韓国人が、彼らのアイデンティティを正確に確認できない限界として作用する。たとえば北朝鮮華僑は中国語よりもコリア語がずっと楽な場合が多いので、北朝鮮人と区分することはたやすくない。同様に、中国語のできない北朝鮮華僑が存在するので、北朝鮮人が北朝鮮華僑として振る舞いうる。

このため丹東には北朝鮮人に詐欺を被ったという噂が多い。実際にそうしたことも発生する。たまに韓国人と対北事業をしていた北朝鮮華僑と朝鮮族が経済問題が生じる場合に備えて、韓国人が中朝国境を越えて会うことのできない北朝鮮の人として、自らのアイデンティティを往還したりもする。そして韓国人も自分の経済的な失敗の原因を、国境越しに存在する想像のなかの北朝鮮の人のせいにできる。それゆえに四集団の間で経済的被害を与えた人として北朝鮮人がおもに注目される脈略を考慮するならば、こうした噂は別の角度からも解釈可能である。

事例を加えるとすれば、北朝鮮レストランの他に北朝鮮華僑が経営する食堂も鴨緑江の岸辺にある。そこは北朝鮮レストランよりも安い価格で食事をすることができ、キャッシャーの横に人共旗もある。韓国の観光客は、観光ガイドからこうした食堂を北朝鮮レストランとして紹介され、食事をする。この時に北朝鮮華僑である食堂の主人は、彼らに北朝鮮人として挨拶したりもする。韓国の観光客を相手にする時、食堂の主人は北朝鮮華僑よりも北朝鮮の人であるというアイデンティティが、食堂の営業戦略上効果的であることを知っている。

北朝鮮華僑と朝鮮族が互いのアイデンティティに往還しようと試みる例もある。韓国の観光客を相手にする丹東の旅行会社は、おもにコリア語が可能な北朝鮮華僑と朝鮮族を観光ガイドとして採用する。北朝鮮社会に暮らしたという理由だけで、北朝鮮華僑である観光ガイドは韓国人観光客に人気が高い。ところが、彼らは中国語と中国の実情をよく知らない場合が多い。ゆえに旅行の過程で韓国の観光客は彼らに対する不満をもらし始める。韓国の観光客の望みと異なり、北朝鮮華僑は自らが生まれ育った北朝鮮について、肯定的な内容を語る。これによって韓国の観光客と葛藤が生じることもある。こうしたことを続けて経験することになる北朝鮮華僑の観光ガイドは、韓国人観光客に自らを朝鮮族と紹介し始める。

これに反して中国で生まれた朝鮮族の観光ガイドは、韓国人が望むところに合わせて北朝鮮の実情を誇張して語るほうだ。韓国の観光客は北朝鮮に対する韓国社会の先入観に符合する説明をする、朝鮮族の観光ガイドを好むからだ。ところが時に朝鮮族の観光ガイドは、韓国の観光客が北朝鮮華僑をより好んで選ぶことを知ることになる。北朝鮮華僑というアイデンティティが、朝鮮族のアイデンティティよりも北朝鮮の実相についてのリアリティを韓国の観光客に保障する、ということを認識することになるのだ。朝鮮族の観光ガイドは経歴を積むほどに、韓国の観光客に朝鮮族ではない北朝鮮華僑として自らのアイデンティティを言及する戦略を行使する。

これと同様に、もっとも積極的にアイデンティティを変えたり、往還したりする人は北朝鮮華僑だといえる。彼らのなかには北朝鮮華僑ができる経済活動をおこないながら、北朝鮮華僑の身分を放棄して中国の戸口［＊戸籍にあたるもの］を選択することもある。そして中国における永久的な生活を計画する。こうした転換を試みる理由は、北朝鮮華僑の身分ではなくとも北朝鮮内に彼らの家族がいる場合、中朝国境を往来する貿易活動に影響をきたさないからである。これから私は国境を越えてきて丹東暮らしを一年ほどした二〇代の北朝鮮華僑が会得したアイデンティティ、そしてこれと関連したライフスタイルを簡略に紹介しようと思う。こうした姿は、丹東の若い北朝鮮華僑が生きていく方式の断面でもある。

チユ・グワンオク（一九七九年生まれ、仮名）という名前のある女性は、北朝鮮華僑・朝鮮族・中国国民のアイデンティティを往還していた。丹東の按摩屋で韓国人を相手に電話予約、そして案内する仕事をしていた彼女は、初めて出会った時は自分を朝鮮族であると紹介した。しかし中国語が上手でない様子を見せた彼女は、結局、社長と私に自分が実は北朝鮮華僑であることを明らかにした。一方、彼女は数カ月後、対北事業をする韓国人を手伝う仕事をしようと按摩屋をやめ、北朝鮮華僑として平壌に行ってきたりしたのだった。一年後、偶然に三馬路の通りで再会した彼女は、北朝鮮華僑という身分でいるよりも不法に中国居民証を作るのだという計画を私に漏らした。最近は北朝鮮に両親がいるので自分は貿易の仕事をいくらでもできるが、丹東で北朝鮮華僑として暮らすというのは、三カ月ごとに瀋陽朝鮮大使館または一年に一度北朝鮮へ行って来なければならない不便さがあるというのであった。

韓国社会で脱北者は、韓国国民という位置のためにむしろ朝鮮族よりも経済活動の範囲に制限を受ける時がある。こうした理由から脱北者は、月給は低いが朝鮮族としての就業を試みもする。こうした事例とは反対に、丹東で北朝鮮華僑は一般的に朝鮮族よりも月給を低く見積もられる。北朝鮮華僑よりも人件費の安い集団は北朝鮮人である。それゆえ北朝鮮人は、朝鮮族あるいは北朝鮮華僑として就職するために、国民・民族アイデンティティを往還しようとする。一方で雇用主は賃金に差異の生じる彼らが、それぞれどの国の出身なのかを把握する必要がある。こうした与件から北朝鮮華僑である彼女は、朝鮮族の身分で就職したのだ。しかし彼女は丹東で暮らしながら中朝貿易過程に北朝鮮華僑が必要であるということがわかり、本格的に貿易の仕事に飛び込んだ。このように中国の会社が介入する三カ国貿易において中国国民というアイデンティティが必要な時、北朝鮮華僑の国民アイデンティティは経済活動の手段であり長所になる。

最後に北朝鮮人と韓国人に現れる国民アイデンティティと関連した、また別の形態のアイデンティティ隠しを見てみると、次の通りである。まず私が最初に出会う四集団の人に、軽く気になることを質問するたびに返ってくる返事は、「安企部ですか？」であった。こうした状況が演出される基本的な理由は、丹東が三カ国の間の諜報戦の中心地という認識があるためだ。さらに四集団が生きていく目的と、彼らのアイデンティティにもとづく行動の制限も結びついている。宣教、情報員、そして事業の目的によって、国民・民族アイデンティティを隠しもする。たとえば二〇〇三年でさえ、韓国人が北朝鮮人に会う時、昼には香港の名刺を持って英語で会話し、実際に重要な協議は夜にホテルの部屋でだけおこなう場合があった。

しかし北朝鮮の船舶を丹東港に停泊させた後、食堂を訪問した北朝鮮人は出迎えに出て来た取引先の中国の会社の管理者が当然に中国人であると考えていたところ、韓国人であるという事実に驚きもする。しかし、国家が国民に要求する公式的な見方から見る時、こうした出会いは集団の間のアイデンティティ隠し戦略によって存在しないものとなる。

反対に、国家が介入する情報員活動、あるいは宗教の信念に基づいた宣教も、やはりアイデンティティの制約を受ける時に、集団間の国民アイデンティティを隠す戦略と結びつくものだ。とりわけ北朝鮮と韓国の葛藤状況が演出される時、アイデンティティ隠しは彼らが丹東で生きていく方法として作動する。このように国民アイデンティティ隠しは、彼らの出会いが表によく現れないという点に留まらない。

国家と関連したアイデンティティは人にだけ該当するのではなく、丹東においては三カ国の国境を越えるために、北朝鮮の品物が中国産に、韓国の品物が中国産になることもある。中朝国境を越える時、韓国産よりは中国産として越えるのが容易な時に、中韓の貿易において北朝鮮産よりも中国産が経済的に利潤創出に助けとなる時、四集団が介入した製品の国家アイデンティティは隠される。これによって丹東の国境地域で作られたり、経由する三カ国の国家製品のなかには、三カ国の国民アイデンティティにおいて活動した、四集団の経済的な役割が潜んでいる時が多い。

第六章訳注

＊62　トンタッ：鶏を丸揚げで揚げた鶏肉料理であり、フライドチキン風の韓国料理として知られている。

＊63　コムタン：牛肉（胸肉・モモ肉・肩バラ肉・ホルモン・カルビ・テール・脚などの部位）を濃く煮込んで作るスープである。辛くなく臭みもほとんどないさっぱりしたスープで、ご飯をひたして食べることもある。

＊64　人共旗：「人民共和国旗」の略語であり、北朝鮮国旗に対する韓国社会における一般的呼称。国名を消し、国旗を含意させない表現と見ることができる。韓国ではドラマや映画で北朝鮮を表現する場面を演出するための使用、国際スポーツ大会に北朝鮮が出場する場合の掲揚などは例外として、公共の場所でこの旗を掲げる行為は国家保安法によって禁止されている。

＊65　統一部：一九六九年三月一日に設立された、統一業務を専門に担う中央行政機関。韓国社会における統一議論の収斂、政府レベルの体系的・制度的統一問題へのアプローチ、統一および南北対話・交流・協力・人道支援に関する政策樹立、北朝鮮分析、統一関連事務、および教育を担当する。

＊66　北朝鮮住民接触：韓国民主化後の一九九〇年に制定された「南北交流協力に関する法律」は、その第九条の二項でにおいて「韓国の住民が北朝鮮の住民と会合・通信、その他の方法で接触するには、統一部長官にあらかじめ申告しなければならない」と定めており、別途申告が免除される類型として、①訪問証明書の発給を受けた人が、その訪問目的の範囲で当然認められる接触、②政府と北朝鮮当局との合意にしたがい韓国を訪問する北朝鮮住民との接触、③韓国で開催される国際行事に参加する者との接触が例示されている。つまりその他の場合、事前または事後申告がなければ不法行為として扱われる。

＊67　サンガム：本来の意味はお供え物。祝事（誕生日・結婚式等）に供えられる多様な料理をさす。

＊68　パンガッスムニダ（歌）：北朝鮮の楽団である普天堡電子楽団の指揮者および作曲家であった李鍾昨が、もともと日本公演の際に在日韓国人の観客を歓迎するために作った歌だ。南北を含む北朝鮮の国際イベント、北朝鮮のレストランなどで歌唱されることで、北朝鮮歌謡の代表曲として有名になった。

＊69　ガンガンスルレ：秋夕（旧暦のお盆）の夜や小正月の夜に、成人女性が集まって歌いながら踊って遊ぶ全羅南道西南海岸地方の風習。ただ北朝鮮レストランでおこなわれている踊りが、これを正確に再現したものなのか、それとも丸まって踊る姿がまるでカンガンスルレのように見えるという比喩次元の話なのかは不明だ。

＊70　温飯：平壌四大料理に選ばれる名物料理。白ご飯の上に細かく切った鶏肉・椎茸・緑豆のチヂミなどを盛り付け、温かい鶏肉スープをかけて食べる料理。

第六章原註

（55）金光億［김광억］（一九九七）

（56）王翰碩［왕한석］（一九九七）一八八頁

（57）Kearney（1998）

（58）ユ・チョリン［유철인］（一九九七）五五頁

第七章

丹東、三カ国の過去・現在・未来

ニュースづくり――我われが知っている北朝鮮ニュースの虚像

韓国社会が丹東の役割と位相に特に注目する理由がある。丹東は閉鎖された国家と見做される北朝鮮の情報を把握するための、中国国境地域のなかでの核心地域として脚光を浴びるからだ。こうした理由から、丹東は狭く見れば北朝鮮と韓国の諜報戦、広く見れば三カ国の間の情報戦争が展開される舞台として認識される。(59) とりわけ韓国において丹東は、国境越しに北朝鮮と関連した内容を確認しうる場所として考えられる。丹東は、韓国のNGO団体と北朝鮮研究者、そして言論界の従事者たちが、北朝鮮の消息を直・間接的に収集するために頻繁に訪問し、滞留するところだ。彼らが作りだす丹東と中朝国境についての言説は、ほぼ北朝鮮と関連している。

金正日国防委員長の中国訪問と死亡、北朝鮮が惹起した外交情勢、北朝鮮内部の状況などが報道されるたびに、丹東は重要な取材空間となる。韓国の放送ニュースでは、北朝鮮と関連した報道をする時、取材背景として丹東で報道する記者の姿が登場する。このように丹東が韓国社会から注目されることになった契機について、丹東の人は「二〇〇二年・楊斌事件[*71]」「二〇〇四年・龍川事件」を挙げる。この時期は、丹東が急激に外形的な発展様相を見せ、中朝国境のイメージが変化を見せ始めた時期と重なる。丹東の人は、丹東の歴史を語る時、国境越しにある新義州との関連性を含ませる。

そしてふたつの事件とも丹東の中朝国境と関連がある。前者は丹東と国境で向きあう新義州の開発問題が絡んでおり、後者は国境越しに繰り広げられた爆発事件であり、韓国派遣団とともに救護物資が中朝国境を通過することもあった。ところが韓国の言論は、新義州と龍川事件の両方とも現場からのニュースを報道できなかった。中朝友誼橋、鴨緑江断橋、新義州の岸辺を撮影した映像、往来する車両と列車とともに、北朝鮮に行って戻ってきた丹東の人びと（おもに北朝鮮華僑あるいは朝鮮族）が伝えてくれる消息のみを伝達する形態が再生産された。

二五日午前、中国の都市・丹東が鴨緑江と接する堤防、川の向こうに北朝鮮の地・新義州を望む五〇代半ばの林雪（女性、仮名）の気持ちも、龍川大型爆発事故の惨事以降、緊張している。龍川の親戚の華僑たちがあの火の海のなかで生きているのやら死んでいるのやらわからず、生きているのなら夜ともなれば気温がグンと下がる廃墟で、食べるものも充分に得られているのかわからないからだ……。龍川の大型惨事は、丹東の一部中国人にとっても憂いを抱かせるものとなった。龍川に華僑の親戚がいる中国人たちがそうである[60]。

こうしたニュース報道の方式は、中朝国境がいくつかの救護団体を除き韓国国籍を持つ人が通過できない国境として残っているということに起因する[61]。こうした脈略のなかで、二〇〇〇年代に入って丹東は北朝鮮の消息のリアリティを保証する場となっている。脱北者に対するインタビューの他にはこれといった手段と方法のなかった韓国社会において、「丹東で鴨緑江越しの新義州を望む」で始まる丹東発のニュースは、北朝鮮の消息に接する機会として迫ってきた。丹東は北朝鮮を相手にして韓国マスコミに間接的な国境崩しが可能な空間と人を提供する。

これと同時に、丹東発のニュースの内容そのものが、国境を築く役割を果たしもする。北朝鮮に出入りする中国の取材員の存在は、中朝国境が鉄のカーテンではない通路の役割をしていることを反証する。丹東の人びとが国境を越えて北朝鮮を往来してくるおもな目的は経済活動であるが、韓国メディアは自らが国境を越えられない北朝鮮内部の事情を彼らを通じて報道することだけに、ひとえに関心を見せるにすぎない。韓国メディアは北朝鮮の消息を伝達する役割だけを彼らに付与する。大部分の放送内容は、丹東と新義州の国境地域における生活が、互いに断絶していなかったことを看過するだけではなく、三カ国の人びとが出会い実践する文化を見ることができずにいる。かえって越えることのできない中朝国境のイメージを強化する方向でニュースは報道される。これによって北朝鮮と関連した韓国のニュースは、丹東を鉄のカーテンから漏れでる情報の震源地に限定させてしまった(62)。

一例として二〇一一年一二月、金正日国防委員長死亡当時に丹東を訪れた韓国の記者たちは、新義州の岸辺に人びとが姿を見せない現象を見て、これを北朝鮮が国境を閉鎖せんとする措置の延長線上で取材した。しかし、こうした内容が韓国の放送で報道されるのを見ながら、丹東の人たちは「どうしたら寒い天気の日に岸辺に出ている北朝鮮人が居るっていうのか?」という反応を見せた。こうした報道は、丹東を交流の生まれる国境地域ではない、断絶した国境地域としてのみ把握するものだ。このように北朝鮮と関連した丹東発のニュースは、あたかもリアリティの確保されたもののように認識されると同時に、(虚構的な)ニュースが作られる可能性として存在する。

こうした丹東発ニュースの取材過程に四集団もかかわっている。韓国メディアの報道過程における丹東国境地域の役割は、四集団がここで生きていく方式を知らせてくれるものだ。四集団の人びとは、中朝国境を活用して自らが生きていく内容を選択し、語る戦略を行使する。中国政府が丹東に韓国の記者たちが常駐できないようしたことで、韓国の記者たちは自らの足で駆け回るより取材員を確保することが重要となった。このため四集団のなかには、丹東の対北専門家・対北事業家・

対北消息通という名前で暮らしている人びとがいる。これもまた韓国メディアが直接国境を越えて北朝鮮に入り取材員の話についての事実検証をできない限界があるから可能である(63)。四集団は、北朝鮮と関連した韓国のニュース報道過程で、国境崩しと国境構築を活用している。

丹東発の韓国ニュース取材と関連した四集団の行為は、丹東で現れる四集団の関係づくりや四集団固有の次元で生じる。とりわけここでは国民・民族アイデンティティに対する四集団の戦略が動員される。丹東内の韓国人は、人脈を動員して訪ねてきた韓国の記者たちの訪問をよく経験する。彼らは記者に自分たちが知っている北朝鮮の消息を語ってやったり、韓国の記者たちの要請にそって北朝鮮華僑と朝鮮族を紹介してやる。二〇一〇年を前後してよく登場することになった北朝鮮人に関するインタビューも、こうした関係のなかで可能だった。インタビューのための出会いにおいて、四集団の人びとは自らの国民・民族アイデンティティが浮き彫りになる経験をする。自らのアイデンティティが、ニュースについてのリアリティの担保となるからだ。また中朝国境の閉鎖されたイメージが強調されるほど、四集団の人びとの存在価値について希少性が高まることを知ることになる。

しかしこうした経験を数回ほど経た四集団の人びとは、取材員という役割が丹東で生きていく自らの人生に否定的な役割を及ぼしうることを知ることになる。韓国政府の対北制裁に敏感な韓国人は、丹東でのライフスタイルが露出されることに対する問題に直面する。韓国メディアに知られた北朝鮮華僑と朝鮮族は、たまに自分たちのメールが感染しているという感触を語ったものだ。実際に中国の公安から中朝関係に関する発言に注意しろとの警告を聞く場合、あるいはそうした噂に直に接したふたつの集団の人びとは、韓国言論の取材員の役割が自分の助けにならないことを知ることになる。さらに中朝国境を往来する自らの生活に対し、北朝鮮の制裁がありうると考える。

一方、韓国の記者たちは最終的に丹東にいる北朝鮮人を紹介してくれという頼みを、三集団の人びとにする。この時、三集団の人びとは、自らの事業に妨害になることを甘んじてまで無理に北朝鮮人に会わせてやることは珍しい。この時、韓国の記者たちは北朝鮮人と思って会っている相手が、実は北朝鮮の事情を知り北朝鮮の語調で話す北朝鮮華僑と朝鮮族であり、彼らが北朝鮮人として振る舞ってインタビューを受けていることを知らない。このように四集団は、韓国のマスコミからみずからの生活を保護しようとする。このために丹東発のニュースに関しては国境構築を実践し、自分たちに関連した三カ国が出会う国境地域の文化については国境隠しを試みる。すなわち、国境越しに北朝鮮に関する話しだけをするのだ。韓国の記者たちが確認できないという点を知っているので、北朝鮮華僑と朝鮮族は北朝鮮内部の事情について気楽に話す。また韓国のニュースに衛星放送を通じて接している彼らは、韓国の記者らが望む内容に合わせて答えたりもする。大部分、北朝鮮の事情は厳しいという答えが繰り返され、この過程で韓国の記者たちはニュースが作られたものか検証できず、そのまま報道する。

たとえば、彼らは丹東から北朝鮮に流入する品物の大部分が中国産であるというふうに述べる。しかし中国産として表現された品物に、四集団がどのように結びついているのかは言及しない。単に四集団は「鴨緑江の船と行商を通じて密貿易する」といった、丹東の人ならば誰もが知っている一般的な話しだけ口にするのみで、国境貿易についての具体的な内容は避ける。韓国人が関連した品物をどうやって北朝鮮に流入させるのか、北朝鮮で作られた品物が丹東に流入し、韓国にどのような方式でふたたび輸出されるのかについては、一切語らない。このため韓国の記者たちは「丹東ほど取材が難しいところはない」と語る。

こうした状況は、二〇一一年一二月、金正日死亡と関連した丹東発ニュースにも見られる。四集団が取材員として韓国の放送に登場することを避ける状況のため、丹東を訪問して三日目になる韓国のある芸能人が、丹東と新義州の国境地域の姿を報道する取材員の役割をした。韓国の記者らは目につく現象のうち、丹東税関の前で北朝鮮人が造花を購入している姿と、これによって引き起こされる造花価格の暴騰、北朝鮮レストランの営業中断、国境の向こうの新義州の閑散とした風景などを中心に、記事の内容を作成するしかなかった(64)。しかし当時の実際の状況を研究者が観察したところによると、記者とのインタビューを拒絶した四集団の人びとは、せわしなく動いた。韓国人は、人脈を活用して北朝鮮の工場の事情を確認して両国境の税関の業務状況を判断せねばならず、韓国からかかってくる国際電話は鳴りっぱなしであった。北朝鮮華僑は、自分たちの忘年会の集まりを延期し、葬式の終わった後に開催した。朝鮮族は、自分の事業パートナーである北朝鮮人の帰国行列を助けようと、造花と土産物などを準備した。北朝鮮人は、残りの三集団から造花を受け取って、中朝国境貿易の進行状況を知らせてくれていた。こうした行為は、四集団の間に経済的なつながりを引き続き結ぶためになされたものであった。

当時、丹東の造花価格は北朝鮮人ばかりでなく丹東人も一斉に購入したために、暴騰するほかなかった。「誰それが北朝鮮人にどんな花束を贈った」あるいは「どの会社が一番大きい造花を送った」という話しを通じて、四集団は中朝国境貿易と関連した人脈を確認していた。事業パートナーである北朝鮮人の立場を考慮して、彼らは飲み屋とカラオケを訪れるのを自制した。このように四集団が多少制限された方式で北朝鮮のニュースを提供したり、甚だしくは創作した現実は、実際の北朝鮮あるいは中朝関係を理解するうえで壁として作用する。また丹東国境地域の交流文化を軽く見過ごしてしまうことに繋がる。こうした状況に韓国の研究者らも丹東で直面することになる。この過程において韓国のマスコミと研究者たちは、とくに新義州と向かいあわせで形成される丹東の国境地域の文化があることを見逃してしまう。

過去に投影された現在――丹東経済に潜んだ特殊な時間

北朝鮮が一九七〇年代中盤までもっとも成功した社会主義産業化国家のうちのひとつであったという事実、あるいは北朝鮮が韓国よりも経済的に豊かであったという事実を、韓国社会は見過ごす傾向がある。同様に中国と北朝鮮の経済的差異と関連した見方も同一に眺める面がある。最低限、北朝鮮よりは中国がつねに経済的優位にあったという偏見は、丹東と新義州の両都市の過去に関する言説にも繋がる。

一九九〇年代末の丹東の夜景を記憶する韓国人は、「夜道がすごく暗くて懐中電灯を持って歩かねばならなかった」と、半分冗談、半分本気で述懐する。しかし二〇一〇年前後の丹東市内の姿からは、こうした過去の経験は想像できない。一方、中国のいくつかの都市のうち、丹東が国境地域に位置しているために生じた先入観に影響された韓国人は、丹東が開発と発展の遅れた都市であろうと想像したまま訪問する。しかし彼らは丹東の鴨緑江断橋周辺で果てしなく続く高層マンションを見た瞬間、「自分たちの考えが浅はかだった」と周辺の人びとに語る。さらに鴨緑江の遊覧船で目撃することになるみすぼらしい建物の新義州の風景は、高層マンションに代弁される丹東の発展を一層克明に見せてくれる。

丹東を訪問した韓国人は、たちどころに丹東と新義州についての話に話題を転じる。彼らの会話は二つの都市を単純に比較するものに止まらない。彼らは資本主義の結果物と見なされる丹東の高層マンションと、社会主義という過去に閉ざされた新義州の川岸の差異によって、ふたつの都市の特性を強調する。この時、彼らは丹東と新義州は一〇年前、二〇年前も現在の姿のように存在したかのように語る。韓国の言論も単に新義州と比較される丹東の発展だけに焦点を当てる見方が主流である。たとえば新義州の姿を「歴史と時間が停止したところ(66)」、「丹東と新義州、そして天と地(67)」などと描写するのだ。

こうした見方の中心には、現在ばかりでなく過去においても、丹東と新義州の中朝国境が障壁の役割を果たしたという先入観がある。この間にふたつの都市の経済交流があったならば、このように対比的になることはないと考えるのだ。このために公式の統計においても一九八〇年代以降、丹東と新義州の経済的交流がたえずあったという事実、丹東経済の基礎には新義州との国境貿易を通じた経済交流が大きな比重を占めているという点を、受け入れる余地を与えない。反対に「中朝友誼橋を往来するトラックは、北朝鮮から出て来る時には空っぽだ」、あるいは「北朝鮮からは出て来るものがない」、そして「ただ北朝鮮に対する経済援助だけが、丹東を通じてなされている」という偏見だけが強化されるだけだ。

丹東に対する外部の視線は、丹東と新義州の経済状況が過去から現在まで続きながら、函数関係に置かれていることを見られずにいる。丹東の立場においては新義州との経済的交流が必要でなかったものと見なされる。これによって、つねに丹東と新義州の関係においては、北朝鮮に対する中国の無償援助の枠だけが過去に存在し、現在も存在するものと言及する。(68) 言い換えれば一九八〇年代の初めが中国の改革開放政策の始まりだった点、一九九〇年代中盤に北朝鮮が自然災害に見舞われた点を、人びとは考慮しない。人びとは二〇年間に進行されたふたつの国境地域の経済的格差が、変化する時期とその意味に注目しない。一九八〇年代と一九九〇年代を同じ時期または反対に想定しながら、二〇〇〇年代前後の丹東と新義州を眺めるだけだ。これは今日の偏見で過去を解釈する傾向であり、現在想像される経済的障壁の国境が過去にも投影されるのだ。

しかし一九九〇年代から対北事業をした人びとと、その事業を引き続き進行中である人びとは最低限、新義州とくらべた場合の丹東の経済的余裕がどこに根ざしているのかを知っている。彼らは「両国境都市の外形的な格差を、失敗した社会主義と成功した資本主義とだけ説明するのは不足である」と語る。あわせて、「新義州と関係なしに丹東の経済的変化が生じた時はない」と断言する。その根拠として丹東で自分たちが富を獲得した根源は、中朝国境貿易活動だという点を挙げる。たとえ自尊心の表現である面があったとしても、北朝鮮人も私的な場で「丹東の経済成長は、自分たちが居たために可能だった」と語る。

一九六〇年代には、新義州が重工業などの発達によって、丹東よりもすべての面で先んじていた。(69) そして中国の改革開放以降、一九八〇年代の丹東の経済活動領域には、広くは北朝鮮、狭くは新義州との国境貿易が大きな比重を占めていた。丹東の人びとは、その当時を新義州の経済的影響で食べられた時代として記憶する。丹東の人は一九八〇年代末ですら、新義州の通りとくらべ「丹東と中国の都市は綺麗な新義州を見習わねばならない」と表現した言葉を回想する。「綺麗な新義州」に込められた意味は、経済的余裕と状況を隠喩するものだ。現在、中国の他地域の人びとが認識する丹東人の過去をめぐる見方においても、新義州が丹東に及ぼした経済的影響を読み取ることができる。中国において、丹東の人びとは「朝鮮（北朝鮮）との闇取引で大金を集めた人だから、信頼できない」と認識された。「中国の南方に行って丹東から来たと言うと、人間関係を結ぶのが非常に難しかった」と丹東の人は記憶する。このように中国内部において丹東の人びとの生活は、経済的側面のみならず生活のすべての断面が、国境越しの新義州と結びついていた。

このように中朝国境を挟んで過去から現在まで続く丹東と新義州間の関係において、経済的障壁の機能をはたす国境が存在するという偏見、これと併せて新義州よりもつねに経済的優位にいたものとして丹東を眺める視線は、丹東の国境地域文化に内在する多様な意味を見逃すことになる。これらは中朝関係、あるいは丹東と新義州の関係を政治的枠組中心に見るようにさせるが、新義州および丹東の人は両国家が強調するような血盟関係としてのみ互いを考えるのではない。これに加えて、両国境地域の人びとの間には経済的パートナーとしての交流があり、二〇〇〇年代に入っても続いていることに注目する必要がある。丹東は国境越しに新義州との経済的噛みあいのなかで存在する都市なのだ。

丹東開発言説に注目する

楊斌事件が起こった当時、丹東の人は人件費と関連して「丹東と新義州は経済的側面に突き動かされた競争にあった時期であった」と記憶する。この時、丹東の人は経済的次元において、中国の高位層が、金正日に新義州よりは開城を勧めたという逸話を定説として言及する。新義州の労働市場が活性化されれば、似た位置にある丹東の労働市場は萎縮すると考えたのだ。しかし新義州開発説とその確定は、楊斌事件以降もずっと言及された。二〇一〇年、新義州特区がふたたび注目を集める状況となったのだ。しかし国境越しの新義州の姿から、変化の模様を探るのは難しい。

反対に私がフィールド・ワークを終えた二〇〇七年末とくらべて、補充研究を行った二〇一一年夏の丹東市内は、外形的規模の面で二倍以上にその範囲が広がっていた。(70) こうした変化の中心には、丹東と関連した国境地域開発計画とその実行があった。丹東の国境地域に影響を及ぼした開発言説は、その名を「五点一線」*72 として知られた開発プロジェクトであった。(71) しかし二〇〇六年末、開発プロジェクトの信号弾と認識されたＳＫマンションが起工式を上げた時でさえ、丹東の人びとは丹東地域の開発言説をひとつの蜃気楼であると感じていた。[72]開発計画の含まれた文書だけが、人びとの間を巡るばかりであった。二〇〇七年末、丹東市内外郭に位置した新市街地造成計画図と未来の青写真を描いた鳥瞰図が荒野に建てられていた。内容中の核心は、米国と香港資本の流入であった。丹東の人は、これを絶えず発表されて実行されない丹東－新義州が関係した開発言説のうちのひとつと考え、丹東と新義州の経済的競争関係はつねに変数だと語った。

一方で、丹東関連の開発プロジェクトは不動産業者が活用する好都合の素材となっていた。すでに二〇〇〇年代に入って吹き始めた高層マンション建設ブームによって、二〇〇七年、丹東の既存市街地のうち鴨緑江の岸辺には、これ以上建設用地が見当たらないほどであった。この最中に丹東高層マンションの三分の一は、韓国の江南のおばさんたちが購入したとの噂が出回りもした。あわせてもうすこし大きな手としては、中国の南方資本という話もあった。こうした状況で、単に丹東の人の夢を中国の中央政府と結びつける希望と見做された丹東開発が、単純に未来の開発言説ではなく現実において具体化された姿で現れ始めた。

二〇一〇年前後、丹東の社会は変化の岐路にいま一度直面している。一九一〇年代初頭に鴨緑江上流に位置した虎山長城周辺から今の丹東市内に移ってきた中心軸が、ふたたび鴨緑江の下流に沿って西海により近いところへと移動中である。こうした兆候を丹東の人は皮膚で感じると語る。二〇一一年、丹東市政府庁舎が新市街地に移る準備をしていた。周辺には韓国のＳＫグルー

国境地域の活性化によって2000年代中盤前後から丹東にブームを巻き起こし始めた2、30階建てアパートの建設

プが運営する保税倉庫が運営中であった。二〇〇一年から論議され始めた新鴨緑江大橋は、二〇一一年当時建設されていた。二〇一一年、この橋の袂の国境地域では、マンション団地の仕上げ工事が進行中であった。一九一〇年代と異なる点は、新義州と別に丹東はもうひとつの丹東内中心軸を作っているという点だ。二〇一〇年を前後して、丹東の国境地域には積極的な丹東開発を推進する現場が現れていた。こうした様相について、丹東の人は「韓（朝鮮）半島統一の前後に備えるか、あるいは中国が国境を築くことを試みるか」と語った。

このように、丹東は新鴨緑江大橋の別称である国門大橋に込められた意味である、国家の門であり窓口を彼らの国境地域に準備している。これを背後で支える「五点一線」の主要方向として、丹東が対外開放戦略の実施によって東北三省の物流運送中心地に指定され、国際貿易および輸出入加工と国際観光などの紐帯の役割を果たすものという展望が込められている。しかしすでに丹東は、一九九〇年代からこの役割を遂行していたため、未来に対する開発言説というよりは東北アジア物流の中心地という役割を強化するものと見るのが妥当である（国門湾新都市を宣伝する内容のうちひとつは「国門湾新都市とともに二一世紀丹東の夢！　単に一都市を変化させるのではなく、東北アジア時代の新たなパラダイムを牽引する。二〇一一年に門を開く丹東市国門湾、東北アジア時代の新たな投資機会を創出する」である）

しかし、こうした丹東国境地域内経済地形の変化は、新義州を念頭に置かないまま進行されているのではない。二〇一〇年代の中国は、今や安い人件費の代名詞という座を返上した状態にある。韓国の会社が安い労働力を求めて中国に来たものの、今はバングラデッシュ、マレーシアに移動している。[73]二〇〇五年を前後して、韓国の縫製業者の事業家たちにとって、丹東は北朝鮮と中国の二カ国のうちのひとつを選択できるところであった。丹東の縫製工場の人件費と、北朝鮮の物流費を含めた人件費ははっきりとした比較の対象であったが、二〇一〇年を前後して、丹東は安い人件費という長所の消えた地域である（二〇〇五年、丹東の一般労働者の月給が人民元で約八〇〇元であった。しかし二〇一一年彼らは月給を人民元で約二〇〇〇元受け取る）。

それにも拘らず、韓国企業は丹東が依然魅力的なところであることを認める。その理由は実のと

▼サプリメント・3▲　丹東と胎動をともにした新義州

一七世紀後半から一九世紀中盤まで続いた清国の封禁政策の影響によって、瀋陽を除外した今日の満洲地域の都市は、大部分一九世紀末から二〇世紀初頭に造成された新都市の性格を見せている。(74) そして一九〇九年、今の丹東と瀋陽を結ぶ鉄道敷設の内容を含んだ清国と日本の間の間島協約によって、一九一一年、鴨緑江鉄橋（鴨緑江断橋）が完成した。この過程で新義州は義州から生活の中心地が移されながら形成された都市である。(75) すなわち義州と新義州は、地域の地名が変わったものではない。現在、丹東市内の外郭にある虎山長城の向かい側である義州から、丹東市内の鴨緑江断橋と中朝友誼橋の向かい側である新義州へと、生活の中心地が移動したのだ。こうした脈略を考慮するならば、丹東と新義州の外形的な位置は一九〇四年日露戦争（鴨緑江戦闘）、一九一一年鴨緑江鉄橋の完成、一九三〇年代以降の満州国時代を経て形成されたといえる。一九世紀末まで、義州の向かいの鴨緑江の岸辺には高麗村という村くらいがあった。今日、丹東市内が位置したところは葦の茂みであった。丹東と新義州は、二〇世紀初頭に胎動をともにした都市である。

ころ丹東ではなく北朝鮮にある。こうした状況は中国縫製工場の立場としても同様である。それゆえにこれ以上、丹東と新義州は労働市場における競争関係にはない。むしろ丹東は北朝鮮の安い労働力が必要な状況となった。二〇一〇年を前後して北朝鮮と中国内の人的資源の重複は過去のものとなり、こうした点がむしろ丹東新都市[*73]造成の動因の役割をしている。したがって新鴨緑江大橋の建設は、東北アジア物流の中心地という役割への期待の象徴でありながら、これと同時に北朝鮮の労働力を活用しようとする中国の意図も込められている。中国の対北朝鮮連携開発戦略の目的である物流インフラ構築は、現在丹東で実現されているところだ。そして北朝鮮からの労働力確保が必要な丹東へと、経済地形が変わっていっている。

こうした状況において、丹東新都市の国境の向こうでは、北朝鮮の黄金坪が丹東の人の関心対象として浮き彫りになった。二〇〇六年、丹東の人びとには新義州でどの地域がまず開発されるのかについての異見が多かった。威化島は北朝鮮・新義州の労働力をそのまま活用できるという長所があった。反対に黄金坪は田畑だけだったのであり、中国の丹東国境地域にも鴨緑江大路だけがあった。ここは港がより近いという理由で、東北アジア物流の中心地役割という頂点があると判断した。

これを利用しようとする黄金坪開発計画、たとえば「開発面積が北朝鮮黄金坪開発地区一一・五平方キロメートル、中国側の丹東新都市、遼寧省産業地区一〇平方キロメートル」、「北朝鮮が韓国企業の黄金坪投資参加について反対している。しかし現在は中国と合資した企業のうち、国際競争力のある大企業に限って入居を許容することができると立場を変えた」、「中国の国家級グループの三グループが大株主として参加している」、「黄金坪内には、住居・産業・医療・賃加工団地・自動車部品・IT業種・埠頭荷役地・商品加工団地・食品加工団地・建築資材・物流基地などが入る予定」、「完成した場合、北朝鮮人力はおおよそ六〇〇〇〜六五〇〇名ほどが居住する計画だ」、「中国共産党丹東市代表団が、北朝鮮の平壌で北朝鮮代表団と面談をおこなった」、「北朝鮮と中国が人件費で合意した。月給基準で中国労働者の場合、人民元で初級は二〇〇〇元、中級は二六〇〇〇元、高級は三二〇〇元、北朝鮮の労働者の場合、初級は一〇〇ドル、中級は一二〇ドル、高級は一五〇ドルだ」など、丹東の人びとは事実の当否と関係なく語る。

二〇一二年六月、丹東市対外貿易合作局が投資説明会をした時に配布した冊子の内容には「丹東は労働力資源も非常に豊富で、現地資源の他にも朝鮮の人力を輸入することができ、中朝経済貿易提携領域における限りない拡張とともに、朝鮮のソフトウェアおよびサービス、対外下請人材および大量の技術労働者たちも充分に利用でき、労働集約型産業に労働資源を保証できます」と丹東の投資潜在力を説明する内容が書かれている。一方、北朝鮮も次のような措置を採るものとして知られる。余英時(76)によると、二〇一一年一二月八日「朝鮮中央通信社」は、北朝鮮最高人民会の常任委員会で一二月三日にすでに黄金坪と威化島経済特区法を通過させたと発表し、二〇一二年三月一七

鴨緑江を間に挟んだ丹東と新義州は、国境によって断絶されてはいない。こうした暮らしぶりを丹東の人びとは「鴨緑江には国境がない」と表現する。

日にこの法律の具体的内容を公開した。こうした流れのなかで「一橋両島」建設プロジェクトが提起されている。これはひとつの橋とふたつの島、すなわち新鴨緑江大橋および威化島と黄金坪に関する開発言説だ。

このように丹東の経済地形の変化には、労働力と関連した国境崩しに対する丹東の人びとの期待、そして北朝鮮と中国の開発言説が含まれていた。丹東の人は国境が崩されることだけを待ちはしない。二〇一一年を前後して、丹東の人は北朝鮮の労働力と関連してふたつの方式を活用している。二〇一一年を前後して、韓国企業の注文の減った北朝鮮縫製工場に、中国の工場の注文が押し寄せた。丹東港には北朝鮮行き貨物船がせわしなく動く。丹東には中国の労働者のかわりに北朝鮮の労働者を雇用した縫製工場が増えている。こうした工場で作られた衣類は「Made in China」として全世界に向かって輸出される。中国政府が推進している黄金坪の国境ごしの丹東新市街地の住居団地は完工段階にあり、新鴨緑江大橋はひたすら建設中である。このような丹東と新義州の経済地形変化と開発言説の具体化は、中朝国境を往来する貿易取引方式を通じた物流の要衝地機能と合わせて、ここがこの先、産業協力と国家間協力を通じた生産基地の役割という方向に進んでいることを見せてくれる。

丹東、マクロとミクロを結ぶ国境の現住所

二〇一二年、韓国政府の5・24措置によって結果的に韓国の関連企業がより大きな損失を受けるほどに、南北の間にはいくつかのかたちの経済交流が進んでいた。[77] 実際「5・24対北制裁措置」のような南北貿易中断は、丹東国境貿易の現実上限界がある。先に見たとおり、この政策は南北経済協力と中朝貿易が、個別的な次元でなされたという短見から生じた側面がある。とりわけ南北経済協力における丹東内の国境貿易の役割と方式を看過してしまった。貿易と関連して中韓国境に対する統制が現実的に難しい状況で、韓国政府が基本的にできることは丹東国境貿易の多様な方式のうち、保税貿易禁止に極限されている。丹東の四集団は、民族経済協力連合会（民経連）と統一部を通じて行なわねばならない無税貿易のほかにも、本書で説明した多様な貿易方式を活用中である。一方、韓国政府による国境構築によって、丹東における韓国人の国境貿易活動が萎縮させられたのは事実である。

ところが、四集団と関連して、国境貿易のもうひとつの土台と方式は依然として維持されているのが、二〇一〇年代初頭の丹東の実際である。二〇一一年末に出会った北朝鮮華僑と朝鮮族は、「貿易の仕事が多くて忙しい」という言葉で、自分たちの暮らしを表現した。丹東に暮らす韓国人の規模が減ったと言われるが、家長である父は残して家族が韓国に戻る例が多い。対北貿易の実質

的な主体である韓国人は依然として丹東に暮らしており、北朝鮮人の規模は増えている。二〇一一年一二月、丹東フェリーの客室には賃加工と関連した対北事業を変わりなく行ないながら丹東に暮らす韓国人、そして対北事業のうち水産物貿易の経済的可能性を調べるために丹東を初めて訪問する韓国人が、会話を交わす場面が目撃された。彼らの会話において、彼らと取引をして付き合う丹東在住の北朝鮮人・北朝鮮華僑・朝鮮族の話が漏れることはない。こうした三カ国貿易の中心地としての丹東の状況は、二〇一二年にも続いている。

一方、二〇一二年六月、南北経済協力の象徴である開城工業団地は着工九年を迎えた。この間、開城工業団地プロジェクトは、南北政治・外交関係の直接的影響のもとに進行されてきた。しかし北朝鮮と韓国の国境構築、ならびに北朝鮮と中国の政治・外交などとは別に、丹東国境貿易で四集団のおこなっている国境崩し、すなわち人的物的交流は、中朝友誼橋・朝鮮通り・鴨緑江の船などで、約20年のあいだ地道に根づいてきた。

開城工業団地は開城に居住する北朝鮮人に韓国のチョコパイとラーメンの味を教えてやったという。反対に丹東の人は、北朝鮮人が購入する韓国産の電気釜をさして、「分断以降、北韓（北朝鮮）人と韓国人が多くの部分において異質なものへと変わってきたが、最低限、飯の味は統一された」と語る。また「韓国人の登山服や多様な種類の服は、北韓（北朝鮮）労働者たちが責任を持っている」と語る。これは南北経済協力の歴史と現住所だけではなく、朝鮮半島の分断状況を克服し、統一のために志向せねばならないところが何なのかを見せてくれる事例だ。すなわち、四集団が生きていく方式は「東北アジア共同体追求」というマクロ言説が見逃す、三カ国の結びついた現実をミクロ的に見せてくれるものだ。彼らは今日も京義線の通過が象徴する国境往来という内容とその役割を、丹東で実践している。

第七章訳註

＊71　楊斌事件：二〇〇二年に新義州に「特別行政区」の設置を発表した北朝鮮が、その行政長官としてオランダ国籍の中国人である楊斌を任命したが、丹東出入国管理局が彼の新義州へのノービザ出国を拒否したうえに、瀋陽市警察当局が逮捕してしまった事件。「特別行政区」を開こうとした北朝鮮の計画が中国によって阻止された事件だが、中国内部の中央／地方の葛藤などの原因はさまざまに論究じられる一方、真相は明らかになっていない。

＊72　五点一線：開放経済のための中国政府の東北振興政策。①遼西錦州湾沿海経済区、②遼寧（営口）沿海産業基地、③大連・長興島臨港工業区、④大連・荘河花園口工業園区、⑤遼寧丹東産業園区の五つの沿海重点発展地域と、これらの地域を網羅する葫蘆島市の綏中県から丹東の東港までの長さ一四四三キロメートルの海岸道路開発を基軸とする。

＊73　丹東新都市：「持続的都市発展のための行政機能移転」という中国の全国的都市化対策政策の一環として、丹東市で展開された市の中核施設の移転と新市街開発。新鴨緑江大橋を中心とした地域が丹東新区として新しく開発された。

第七章原註

（59）「朝鮮ドットコム［조선닷컴］」二〇〇七年五月三一日付「中国・丹東、諜報都市イメージを脱ぎ去り国際都市へ［중 단둥、첩보도시 이미지 벗고 국제도시로］」より「丹東は韓国・米国・日本など各国の情報機関が熾烈な対北諜報戦を繰り広げるところ。同時にこれに対応しようとする北朝鮮と中国の防諜活動まで加勢して、世界でも指折りの諜報戦争の最前線に浮上した」を参照。

（60）『中央日報［중앙일보］』二〇〇四年四月二六日付「北、龍川駅爆発惨事 北－中国境丹東ルポ［北 용천역 폭발 참사、北－中 국경 단둥 르포］」、そのほかに『京郷新聞［경향신문］』二〇〇四年四月二四日付「北、列車爆発 北・中接境、丹東の表情［北 열차폭발、北・中 접경 단둥 표정］」、『朝鮮日報［조선일보］』二〇〇四年四月二六日付「遠ざかる鴨緑江の春［멀어진 압록강의 봄］」、『ハンギョレ21［한겨레21］』二〇〇四年四月二八日付「丹東には何もなかった［단둥엔 아무것도 없었다］」などでも、北朝鮮華僑を通じて龍川事件を報道している。

（61）「Oh My News［오마이뉴스］」二〇一〇年一一月二〇日付「(社)オリニ・オッケドンム、新義州を訪問 食料が必要です［(사) 어린이어깨동무 신의주 방문、식량이 필요합니다］」より「さる一一月一一日、(社)オリニ・オッケドンムのファン・ユノク事務総長と北韓大学院大学校のイ・ウヨン教授など四名の訪問団が、今年の夏の水害被害を受けた新義州を訪問してきた」参照。

（62）YTN、二〇一〇年三月二八日付「中国丹東：金正日訪中、兆候未だなく［중국 단둥:김정일 방중 징후 아직 없어］」より「金委員長の訪中の要所として有力な丹東においては、いまだにこれといった兆候が捉えられずにいます。丹東から鴨緑江の向かい側の新義州は、手に取れるように近くにあります。北朝鮮の住民たちが魚をとるために網を手にしています。（…）丹東に直結している取材陣

らの視線も金委員長にとっては負担です」参照
(63) KBS1、二〇一一年二月二五日付「興味を追う北朝鮮報道〔흥미 좇는 북한 보도〕」
(64)『マネートゥデイ〔머니투데이〕』二〇一一年一二月二二日付「金正日死亡、造花がなくて売れません〔김정일 사망, 조화 없어서 못 팔아요〕」
(65) 高昇孝〔고승효〕(一九九三)、朴露子〔박노자〕(二〇〇二)七七-七八頁、張夏準〔장하준〕(二〇〇七)一一九-一三〇頁
(66)『朝鮮日報〔조선일보〕』二〇〇二年一〇月三日付「中国・丹東、北朝鮮資本主義の窓〔중 단둥, 북한 자본주의의 창〕」
(67)『朝鮮日報〔조선일보〕』二〇〇五年六月二五日付「丹東と新義州、そして天と地〔단둥과 신의주 그리고 하늘과 땅〕」
(68) シン・サンジン〔신상진〕(一九九五)、チャン・ドゥンミン〔장흥민〕(二〇一〇)
(69) イ・サンジク〔이상직〕、パク・チャンホ〔박창호〕(二〇〇二)
(70) 韓国の松島国際都市が、五三・四平方キロメートルを開発する。丹東の新都市開発面積は六一・八平方キロメートルであり、収容計画人口は四〇万名である。
(71)『京郷新聞』二〇〇九年九月二二日付「中国・丹東、港湾都市を夢見る〔中 단둥, 항구도시를 꿈꾸다〕」より「二〇〇六年、中央政府が丹東を遼寧沿海経済ベルトに含ませ開発すると宣言したのだ。遼東半島を囲む葫芦島・錦州・営口・大連・丹東などの五都市をひとつの経済圏に括るという、いわゆる『五点一線』政策だ。来年丹東市と鴨緑江河口の港湾・丹東港を連結する『丹東臨港産業園区(団地)』計画とともに大々的な支援策が発表された」参照

(72)『コリアンタウン［코리아타운］』二〇〇六年一一月二四日付「韓国ＳＫグループ、対丹東投資正式稼動［한국 SK그룹 대단동투자 정식 가동］」

(73)『ＭＫニュース［MK뉴스］』二〇一〇年一二月一三日付「海外低賃金ベルトが崩壊する：中国・東南アジアに続いて西南アジアでも［해외 저임금벨트가 무너진다:중국·동남아 이어 서남아에서도］」

(74) 金周溶［김주용］（二〇〇九）

(75) 趙珖［조광］（二〇〇一）

(76) 禹穎子［위잉즈］（二〇一二）一八二頁

(77) 朴明圭［박명규］（二〇一二）二五頁

参考文献

Chris Williams（二〇〇四）「辺境から眺める：近代西ヨーロッパの国境と辺境［변경에서 바라보다:근대 서유럽의 국경과 변경］」、林志弦［임지현］編『近代の国境、歴史の辺境［근대의 국경 역사의 변경］』ヒューマニスト

Tessa Morris-Suzuki（二〇〇六）、任城模［임성모］訳『辺境からみた近代［변경에서 바라본 근대］』、サンチョロム

イ・オッキ［이옥희］（二〇一一）『北・中接境地域：転換期の北・中接境地域の都市ネットワーク［북・중 접경지역：전환기 북・중 접경지역의 도시네트워크］』、プルンギル

イ・サンジク［이상직］、パク・チャンホ［박창호］（二〇〇二）『中国仁川丹東産業団地入居企業支援方策—韓中交流センター研究報告書［중국 인천단동산업단지 입주기업 지원 방안:한중 교류센터 연구보고서］』仁川発展研究院

イ・ジェホ［이재호］（二〇一〇）「南北韓類型別交易構造の変化と示唆点［남북한 유형별 교역구조의 변화와 시사점］」『ＫＤＩ北韓経済レビュー［ＫＤＩ 북한경제리뷰］』二〇一〇年八月号

李鍾雲［이종운］（二〇〇九）「中朝接境地域中国企業の対北取引慣行分析［북중 접경지역 중국업체의 대북거래관행 분석］」『ＫＩＥＰ今日の世界経済［ＫＩＥＰ 오늘의 세계경제］』第九－二七号

イ・ソッキ［이석기］（二〇〇六）「南北経済協力一五年の評価と課題［남북경협 15년의 평가와 과제］」『ＫＩＥＴ産業経済［ＫＩＥＴ 산업경제］』二〇〇六年一〇月

イ・チャヌ［이찬우］（一九九九）「東北アジア物流システムの現況と効率的な連携方法［동북아시아 물류

시스템 현황과 효율적인 연계 방안〕」『統一経済〔통일경제〕』一九九九年四月号
李哲〔이철〕（二〇〇六）「南北ならびに東北アジア鉄道連結と経済協力〔남북 및 동북아 철도 연결과 경제협력〕」『二一世紀東北アジア未来フォーラム〔21세기 동북아미래포럼〕』、現代経済研究院
イ・ドンジン〔이동진〕（二〇一〇）「方法としての満州─辺境満州と地域協力〔방법으로서의 만주:변경 만주와 지역협력〕」『中国東北研究：方法と動向〔중국 동북 연구：방법과 동향〕』、東北亜歴史財団
李鉉祚〔이현조〕（二〇〇七）「中朝国交条約体制に関する国際法的考察〔조중 국경조약체제에 관한 국제법적 고찰〕」『國際法學會論叢』第五二巻三号
李熙範〔이희범〕（二〇〇七）「南北交易の現況と活性化戦略〔남북교역 현황과 활성화 전략〕」『二一世紀東北アジア未来フォーラム〔21세기 동북아미래포럼〕』現代経済研究院
李容淑〔이용숙〕ほか（二〇一二）『人類学エスノグラフィ研究をどうするのか〔인류학 민족지 연구 어떻게 할 것인가〕』、一潮閣
林志弦〔임지현〕（二〇〇四）「高句麗史のジレンマ─国家主権と歴史主権の間で〔고구려사의 딜레마:국가주권과 역사주권의 사이에서〕」、林志弦編『近代の国境、歴史の辺境〔근대의 국경 역사의 변경〕』ヒューマニスト
林秀虎〔임수호〕（二〇一〇）「中朝経済密着の背景と示唆点〔북・중 경제밀착의 배경과 시사점〕」『Issue Paper』二〇一〇年一〇月号、サムスン経済研究所
禹穎子〔위잉즈〕（二〇一二）「遼寧省沿海経済ベルト開発・開放と北・中経済協力〔랴오닝 연해경제벨트개발・개방과 북・중 경제 협력〕」『南・北・中経済協力と東北アジアの平和〔남・북・중 경제 협력과 동북아 평화〕』、仁川・丹東ハンギョレ西海協力フォーラム

ウン・ジョンテ［은정태］（二〇〇九）「大韓帝国期の間島政策推進の条件と内・外部の葛藤［대한제국기 간도 정책 추진의 조건과 내・외부의 갈등］」『近代辺境の形成と辺境人の暮らし［근대 변경의 형성과 변경민의 삶］』、東北亜歴史財団

呉承烈［오승렬］（二〇一〇）「中朝経済関係の構造と政治経済的含意に関する小考［북・중 경제관계의 구조와 정치경제적 함의에 관한 소고］」『北韓研究学会報［북한연구학회보］』第一四巻一号

姜柱源［강주원］（二〇〇六）「南韓社会の区別付け［남한사회의 구별짓기］」『ウェルカム・トゥー・コリア—北朝鮮人たちの韓国暮らし［웰컴 투 코리아：북조선 사람들의 남한살이］』、漢陽大学出版部

金光億［김광억］（一九九七）「総論［총론］」『中国遼寧省コリアン同胞の生活文化［중국 요녕성 한인동포의 생활문화］』、国立民俗博物館

——（二〇〇〇）『革命と改革のなかの中国農民［革命과 改革 속의 中國 農民］』、集文堂

——（二〇〇三）「中国を見る第三の眼［중국을 보는 제 3의 눈］」「中国の今日と明日［중국의 오늘과 내일］』、ナナム出版社

——（二〇〇八）「単一民族と多文化時代［단일민족과 다문화시대］」、金光億編『世の中を読むことと世の中を作ること［세상읽기와 세상만들기］』、ソウル大学校出版部

金光億［김광억］ほか（一九九七）『中国遼寧省コリアン同胞の生活文化［중국 요녕성 한인동포의 생활문화］』、国立民俗博物館

金周溶［김주용］（二〇〇九）「満洲地域の都市化とコリアン移住の実態—奉天と安東を中心に［만주지역 도시화와 한인이주 실태：봉천과 안동을 중심으로］」『韓国史学報［한국사학보］』第三五号

金鐘範［김종범］（二〇〇〇）『中国都市の理解［중국 도시의 이해］』、ソウル大学校出版部

金春善［김춘선］（二〇〇二）「鴨緑・豆満江国境問題に関する韓・中両国の研究動向［압록・두만강 국경문제에 관한 한・중 양국의 연구동향］」『韓国史学報［한국사학보］』第十二号、２００２
金賢美［김현미］（二〇〇八）「中国朝鮮族のイギリス移住経験―コリアンタウン居住者の事例を中心に［중국 조선족의 영국 이주 경험：한인 타운 거주자의 사례를 중심으로］」『韓国文化人類学［한국문화인류학］』第四一巻二号
丘凡眞［구범진］（二〇〇九）「一九世紀盛京東辺外山場の管理と朝・清合同会哨［19세기 성경 동변외 산장의 관리와 조・청 공동회초］」『近代辺境の形成と辺境民の暮らし［근대 변경의 형성과 변경민의 삶］』、東北亜歴史財団
權肅寅［권숙인］（一九九八）「お茶一杯の招待―現地調査、人類学者のアイデンティティ、韓国人の日本研究［차 한 잔에의 초대：현지조사、인류학자의 정체성、한국인의 일본 연구］」『韓国文化人類学［한국문화인류학］』第三一集
高昇孝［고승효］（一九九三）『北朝鮮経済の理解［북한 경제의 이해］』、平民社
シン・サンジン［신상진］（一九九五）「中朝経済関係の現況と展望［북중 경제관계의 현황과 전망］」『統一経済［통일경제］』一九九五年七月号
ソン・スユン［손수윤］（二〇〇七）「中朝辺境貿易の今後の展望と示唆点［북중 변경무역 향후 전망과 시사점］」『Global Business Report』07-022、ＫＯＴＲＡ
宋容德［송용덕］（二〇〇九）「高麗後期の辺境地域変動と鴨緑江沿辺認識の形成［고려후기 邊境地域 변동과 압록강 沿邊認識의 형성］」『歴史学報［역사학보］』第二〇一集
張慶燮［장경섭］（二〇〇八）「北朝鮮ならびに中国の産業構造と経済関係［북한 및 중국의 산업구조와 경

제관계〕」『北朝鮮－中国間の社会・経済的ネットワークの形成と構造〔북한－중국 간 사회·경제적 연결망의 형성과 구조〕』ソウル大学校統一平和研究所統一学研究

チャン・ドゥンミン〔장둥민〕（二〇一〇）「中国と北朝鮮の経済貿易関係回顧と展望〔중국과 북한의 경제무역관계 회고와 전망〕」『東アジアの平和と超国境協力〔동아시아 평화와 초국경 협력〕』東北亜歴史財団国際学術会議資料集

張夏準〔장하준〕（二〇〇七）『彼らが語らない二三のこと〔그들이 말하지 않는 23가지〕』、ブッキ

趙耕眞〔조경진〕（二〇〇五）「チリ・イキケ自由貿易地帯における監視文化と道徳経済の問題〔칠레 이끼께 자유무역 지대에서의 감시문화와 도덕경제의 문제〕」『비교문화연구〔比較文化研究〕』第一一巻二号

趙珖〔조광〕（二〇〇一）「鴨緑江と豆満江はなぜ国境線になったか〔압록강과 도망강은 왜 국경선이 되었을까〕」『明日を開く歴史〔내일을 여는 역사〕』冬号

南義鉉〔남의현〕（二〇〇八）『明代遼東支配政策研究〔명대요동지배정책연구〕』、江原大学校出版部

盧啓鉉〔노계현〕（二〇〇一）『朝鮮の領土〔조선의 영토〕』、韓国放送通信大学校出版部

朴光星〔박광성〕（二〇〇六）「グローバリゼーション時代の中国朝鮮族の労働力移動と社会変化〔세계화 시대 중국 조선족의 노동력 이동과 사회변화〕」、ソウル大学校社会学科博士論文

朴趾源〔박지원〕（二〇〇八）高美淑〔고미숙〕・金豊起〔김풍기〕・吉眞淑〔길진숙〕共訳『世界最高の旅行記、熱河日記（上）〔세계 최고의 여행기、열하일기（상）〕』、グリンビ

パク・ジュンギュ〔박준규〕（二〇〇六）「民族と国民の間─金剛山接境地域観光における民族経済の往来〔민족과 국민사이：금강산 접경지역관광에서 민족경계 넘나들기〕」、韓国学中央研究院韓国学大学

院博士学位論文
朴宣泠［박선영］（二〇〇三a）「血盟と善隣友好の函数関係の間に残された国境問題［혈맹과 선린우호의 함수관계 사이에 남겨진 국경문제］」『중국학보［中国学報］』第48집、2003a
——（二〇〇三）「国民国家、境界、民族—近代中国の国境意識を通じて見た国民国家形成と課題［국민국가、경계、민족：근대 중국의 국경의식을 통해 본 국민국가 형성과 과제］」『東洋史学研究［동양사학연구］』八一号
——（二〇〇四）「近代東アジアの国境認識と間島—地図に現れた中韓国境線変化を中心に［근대 동아시아의 국경인식과 간도：지도에 나타난 한중 국경선 변화를 중심으로］」『中国史研究［중국사연구］』第32集
——（二〇〇五）「秘密の解剖—朝鮮と中国の国境条約を中心に［秘密의 解剖：조선과 중국의 국경 조약을 중심으로］」『중국사연구［中国史研究］』第38集
朴露子［박노자］（二〇〇二）『あなたたちの大韓民国［당신들의 대한민국］』、ハンギョレ新聞社
朴明圭［박명규］（二〇一二）『南北境界線の社会学［남북 경계선의 사회학］』、創批
韓飛野［한비야］（二〇〇一）『韓飛野の中国見聞録［한비야의 중국견문록］』プルンスプ
韓明燮［한명섭］（二〇一二）『南北統一と北朝鮮が締結した国境条約の承継［남북통일과 북한이 체결한 국경조약의 승계］』韓国学術情報
黃晳暎［황석영］（二〇一〇）『江南夢［강남몽］』創批
梁泳均［양영균］（二〇〇六）「北京居住朝鮮族のアイデンティティと民族関係［베이징 거주 조선족의 정체성과 민족관계］」『海外韓人の民族関係［해외한인의 민족관계］』、アカネット

庾喆仁〔유철인〕（一九九七）「移住の歴史と定着背景〔이주역사와 정착배경〕」『中国遼寧省韓人同胞の生活文化〔중국 요녕성 한인동포의 생활문화〕』、国立民俗博物館

尹澤林〔윤택림〕（二〇〇四）『文化と歴史研究のための質的研究方法論〔문화와 역사 연구를 위한 질적연구 방법론〕』、アールケー

王翰碩〔왕한석〕（一九九七）「言語生活〔언어생활〕」『中国遼寧省韓人同胞の生活文化〔중국 요녕성 한인동포의 생활문화〕』、国立民俗博物館

Anderson, B., *Imagined Communities: Reflections on the Origins and Spread of Nationalism*, London: Verso, 1983

Boorstin, D., *The Image: A Guide to Pseudo-Events in America*, New York: Vintage Books, 1992

Donnan, H.& Wilson, T., "An Anthropology of Frontiers," in Hastings Donnan and Thomas M. Wilson (eds.), *Border Approaches: Anthropological Perspectives on Frontiers*, Lanham: University Press of America, 1994

Kearney, M., "Transnationalism in California and Mexico at the end of Empire," in Hastings Donnan and Thomas M. Wilson (eds.), *Border identities: Nation and State at international frontiers*, Cambridge: Cambridge University Press, 1998

Rosaldo, R., *Culture and Truth: The Remaking of Social Analysis*, Boston, MA: Beacon Press, 1989

『京郷新聞〔경향신문〕』二〇〇四年四月二四日付「北、列車爆発、北・中国境丹東の表情〔北 열차폭발、北・中 접경 단둥 표정〕」

『京郷新聞〔경향신문〕』二〇〇九年九月二二日付「中国・丹東、港湾都市を夢見る—鴨緑江に吹く開発の

風、北、閉ざされた門を開けるか〔中 단둥、항구도시를 꿈꾸다：압록강에 부는 개발 바람、북 단힌 문 열까〕」

『News Wire〔뉴스와이어〕』二〇一一年一月六日付「関税庁、さる一〇年間輸出入成果と二〇一〇年輸出入七大キーワード発表〔관세청、지난 10년간 수출입 성과와 2010년수출입 七대 키워드 발표〕」

『マネートゥデー〔머니투데이〕』二〇一一年一二月二一日付「金正日死亡、造花がなくて売れません〔김정일 사망、조화 없어서 못 팔아요〕」

『時事ジャーナル〔시사저널〕』二〇一一年一月六日付「中国、北朝鮮経済接収速度を上げる〔중국、북한 경제 접수 속도 내다〕」

『時事ジャーナル〔시사저널〕』二〇一一年六月一六日付「パニック状態に陥った対北貿易〔패닉 상태에 빠진 대북 무역〕」

『聯合ニュース〔연합뉴스〕』二〇一一年五月一一日付「日本警察、北から衣料偽造輸入五名逮捕〔日경찰、北에서 의료 위장수입 五명 체포〕」

『聯合ニュース〔연합뉴스〕』二〇〇七年一一月九日付「EU、中・東ヨーロッパ九カ国に来月二一日から国境開放〔EU、중・동 유럽 九개국에 내달 21일부터 국경 개방〕」

「朝鮮ドットコム〔조선닷컴〕」二〇〇七年五月三一日付「中国・丹東、諜報都市のイメージを脱ぎ去り国際都市へ〔중 단둥、첩보도시 이미지 벗고 국제도시로〕」

「朝鮮ドットコム〔조선닷컴〕」二〇一一年七月一九日付「議員一二名が越北？ 実は遊覧船踏査〔의원 12명이 월북? 알고 보니 유람선 답사〕」

『朝鮮日報〔조선일보〕』二〇〇二年一〇月三日付「中国・丹東、北朝鮮資本主義の窓〔중 단둥、북한 자본

주의의 창〕」
『朝鮮日報〔조선일보〕』二〇〇四年四月二六日付「遠ざかる鴨緑江の春〔멀어진 압록강의 봄〕」
『朝鮮日報〔조선일보〕』二〇〇五年六月二五日付「丹東と新義州、そして天と地〔단둥과 신의주 그리고 하늘과 땅〕」
『中央日報〔중앙일보〕』二〇〇四年四月二六日付「北朝鮮・龍川駅爆発惨事、中朝国境丹東ルポ〔北 용천역 폭발 참사、北-中 국경 단둥 르포〕」
「Oh My News〔오마이뉴스〕」二〇一〇年一一月二〇日付「㈳オリニ・オッケドンム新義州訪問、食料が必要です〔(사) 어린이어깨동무 신의주 방문、식량이 필요합니다〕」
『コリアタウン〔코리아타운〕』二〇〇六年一一月二四日付「韓国SKグループ対丹東投資正式稼動〔한국SK그룹 대단둥투자 정식 가동〕」
『ハンギョレ21〔한겨레21〕』二〇〇四年四月二八日付「丹東には何もなかった〔단둥엔 아무것도 없었다〕」
『韓国経済〔한국경제〕』二〇一一年一月五日付「北朝鮮も韓流熱風…オール・イン、冬のソナタが人気の裡に流通〔북한도 한류 열풍… 올인、겨울 연가 인기리 유통〕」
「MKニュース〔MK 뉴스〕」二〇一〇年一二月一三日付「海外低賃金ベルトが崩壊する—中国・東南アジアに続き西南アジアでも〔해외 저임금벨트가 무너진다 : 중국・동남아 이어 서남아에서도〕」
KBS1〈時事企画〔시사기획〕〉二〇一〇年一二月七日付「三代世襲、彼らは脱北する〔3대 세습、그들은 탈북한다〕」
KBS1 二〇一一年二月二五日付「興味を追う北朝鮮報道〔흥미 좇는 북한 보도〕」
KBS2〈一泊二日〔一박二일〕〉二〇〇八年七月八日付「白頭山を往く第二弾〔백두산을 가다 2탄〕」

MBC〈PD手帳［PD수첩］〉二〇一一年二月一五日付「岐路に立った韓中外交［기로에 선 한중 외교］」
YTN二〇一〇年三月二八日付「中国・丹東—金正日訪中の兆候、未だなし［중국 단둥：김정일 방중 징후 아직 없어］」

訳者あとがき

本書の翻訳を企画した二〇二一年は、前年社会現象的なレベルで話題となったテレビドラマ『愛の不時着』ブームの余韻がまだ続いていた。この間、日本で生まれた『愛の不時着』言説の中心は、人物造形における新鮮さやそれに対する女性たちの共感といったものに多く集まったが、その一方でドラマが緻密に描写した北朝鮮の「リアル」な生活や人物ドラマが誘発した日本の幅広い視聴者の興味や、南北分断の現実に対する再認識といったことに対しても当然現れた。そのなかで意外にも、北朝鮮の村の素朴な住人たちへの共感や、甚だしくは憧憬といったものまでが自由に語られることになった。北朝鮮にも普通の人びとが暮らしているのだと実感できた、日本の視聴者たちはそのような感想を語り合う「自由」を久しぶりに得た、とも言えようか。しかし、その契機とはあれほどその「押し付け」に眉を顰《ひそ》めてきた韓国ドラマのコンテンツを通して得られたものであった。また一方で韓国・北朝鮮、あるいはそこにルーツを持つ人びとへの嫌悪感表明がメディアを通じて間欠泉のように溢れ、私たち自らもまたSNSや日常のコミュニケーションのなかでそうした意見に同意してみせ、また作り出しているような状況と対照的なものとして現れたことも、特記するべきことのように思われる。この唐突な北朝鮮の人びとへの(?)「共感」をどう捉えたらいいのだろうか？　ドラマ『愛の不時着』は、これまで共感の対象とされなかった人びとへの共感・憧憬を、誠実で心暖かで連帯心にあふれる人びとの緻密な描写によって引き出すことに成功した。そして、その予想外の反応にみずから驚かされた多くの人びとからの絶賛を勝ち得ることができた。しかし視聴者たちが共感を語った「北朝鮮」はKカルチャーの描きだしたファンタジーであり、それゆえに視聴者たちは気持ちを許して共感と憧憬に身を委ねることができたのかも知れない。

ところで、こうした体験は現実の北朝鮮あるいはそれとの関係性の認識に、反映されうるものなのだろうか？　本書で姜柱源が緻密に描写し読み解き続けた、中朝国境都市・丹東のコリア語を駆使する四集団のリアルな生活世界は、その試験台としても読めるだろう。丹東という地名に記憶はなくとも、二一世紀に入って以降、北朝鮮社会およびそれとの断絶的な関係性を象徴しつづけた、あの鴨緑江の風景を映したカメラの足元にある都市といえば思い当たるだろう。ニュース・ショーを筆頭にした日本の報道は、丹東にありながら対岸の新義州の街を超えて平壌を語り、そこにいる北朝鮮人たちの活動が持つ主体性を等閑視して北朝鮮の為政者たちの思惑を語ってきた。他方、姜柱源が提示する、四集団の生計活動によって突き動かされる開かれた境界としての鴨緑江の岸辺のリアルな姿は、そのようなものと対極にあると言ってよかろう。

姜柱源は丹東を通して北朝鮮社会を読み解こうとはしない。また丹東を北朝鮮封じ込めの厳然とした現場として見ることもない。丹東に対する姜柱源の観察を通して見えてくるのは、一義的に北朝鮮社会ではなく、韓国から中国東北地域、さらに北朝鮮へと繋がるコリア語を媒介した動的なネットワークであり、物と人の移動である。そして丹東は、休戦ラインとしてのDMZに比肩する蟻の這い出る隙もない鉄壁としての国境に接した中国の末端部ではなく、観光・物流・生活などの様々な需要に応じて人びとが接近し、条件つきであれ人も物も往来する交流の要として浮かびあがる。また、丹東を市場経済の受容による成功の証として、対岸の北朝鮮・新義州を特殊な体制の持続による失敗の証として、さらにその二つを断絶を深める過程にあるものとして認識することにも、姜柱源は繰り返し反論する。つまり丹東の成長はコリア語を媒介した動的なネットワークに位置づくことによって保証されるものであり、その源泉は歴史的にも対岸の新義州との関係を通じて、そしてその関係が存在することで成り立つ韓国との関係を通じて得られるものとの認識を示す。

このような分析の基礎は、丹東の四集団の人びとに対する人類学的なアプローチにある。本書には既存の丹東言説に必須のものとして登場する、北朝鮮の、中国の、あるいは韓国の政治的な脈略とその規定力の絶対性に関する議論は、ほとんど出てこないという点である意味ユニークなものである。その代わりに姜柱源はコリア語の駆使という四集団の人びとの結節点に注目しながら、丹東に集まってきた彼らそれぞれの移動の過程のなかで見出されていったネットワーク化された職業的ポジションが、彼らをして丹東の四集団のなかでの生を営み続けるように作用していることを浮き彫りにさせていく。そのような議論は一見、政治・経済・外交といった大きな枠組み的な議論に比して、ともすれば頼りないものに見えるかも知れないが、そうした議論が説明仕切れてこなかった、この中朝辺境地域の自生的で強靭な結びつきを読み解く鍵を提供してくれているように思える。

冒頭にことさらに『愛の不時着』に触れたのは、姜柱源もまたドラマの世界的ブームに関心を示したからだ。彼に言わせると、ユン・セリとリ・ジョンヒョクもスイスに行くまでもなく、丹東で育まれているような関係性のネットワークを通じてより簡単に再開できていたはずとなる。もっともそれでは劇的な味わいも減殺されるのであることは彼も分かってはいるが、それでもドラマに触発されてであっても、南北の出会いが現実に可能であることに対する私たちの想像力が深まってほしい、その触媒に自分の著述活動が一助になればと述べている。

＊　＊　＊

本書は、韓国の出版社「クルハンアリ」によって優秀論文の先鋭な問題意識を大衆的な公論化に資するものとして提供しようという〈アーケード・プロジェクト〉の一冊として企画されたものである。また著者・姜柱源とは、大学院における熱意ある講義を通して私自身このイシューへの認識を開かれたと同時に、本書の日本語版刊行につながる縁を結ぶことができた。緑風出版の高須次郎社長には、厳しい出版状況のなかにもかかわらず、この翻訳企画に快諾していただいた。はなはだ簡単になったが、ここであらためて感謝の意を記しておくことにしたい。

二〇二二年一月一一日

訳者・市村繁和

[編者紹介]

姜柱源（カン・ジュウォン／강주원）

ソウル大学校人類学科大学院にて修士・博士号（2012年）を取得した。2000年夏より中朝国境地域（豆満江・鴨緑江）および中国・丹東を訪問している。そこで北朝鮮人・北朝鮮華僑・朝鮮族・韓国人との関係を結び、国境に頼りつつ暮らす人びとの生を自分なりに地道に記録しようと努力している。2020年春からは坡州臨津江・民間人出入統制線・DMZ周辺を行き来しながら、分断の風景と生が意味するものを学んでいる。こうした作業を通じ、北朝鮮と韓国社会の見知らぬ姿を見い出し、出会う努力を傾けている。韓半島の平和と共存について思い悩むことを生業とする人類学者の道を歩んでいる。著書に『ウェルカム・トゥ・コリア』（2006、共著）、本書（2013、韓国研究財団優秀図書事後支援事業選定）、『鴨緑江の流れは異なる』（2016）、『鴨緑江は休戦ラインを越えて流れる』（2019）などがある。 kjw422@hanmail.net

[訳者紹介]

市村繁和（いちむら・しげかず）

出版業界にて長く働きながら、当初、韓国語を学ぶ目的にて渡韓。その後、韓国外国語大学国際地域大学院韓国学科にて博士学位（2021年、韓国学［韓国社会・文化専攻］）を取得し、現在、成蹊大学アジア太平洋研究センター客員研究員である。おもな関心領域は、ポストコロニアル状況における日韓の社会文化交流および日韓連帯史。論文に「東アジア脱冷戦体制と韓国軍人の『反戦脱営』」（2017・韓国語）、「『倭色』言説と脱植民」（2020・韓国語）がある。beonhwa@hanmail.net

中朝国境《ちゅうちょうこっきょう》都市《とし》・丹東《たんとう》を読《よ》む
——私は今日も国境を築いては崩す

2022年2月25日　初版第1刷発行　　定価2,400円＋税

編　者　姜柱源©
訳　者　市村繁和
発行者　高須次郎
発行所　緑風出版
〒113-0033　東京都文京区本郷2-17-5　ツイン壱岐坂
［電話］03-3812-9420　［FAX］03-3812-7262
［E-mail］info@ryokufu.com
［郵便振替］00100-9-30776
［URL］http://www.ryokufu.com/

装　幀　市村繁和（i-Media）
制　作　i-Media　　印　刷　中央精版印刷・巣鴨美術印刷
製　本　中央精版印刷　　用　紙　中央精版印刷・巣鴨美術印刷　E1200

〈検印廃止〉乱丁・落丁は送料小社負担でお取り替えします。

ISBN978-4-8461-2202-7　C0026